FFISIG
Y MEDDYG

MEL JONES

Gwasg
Gwynedd

Argraffiad Cyntaf — 1990

Dymuna'r cyhoeddwyr gydnabod cymorth a chyfarwyddyd
Adrannau'r Cyngor Llyfrau Cymraeg a noddir
gan Gyngor Celfyddydau Cymru.

Cyhoeddwyd ac argraffwyd gan Wasg Gwynedd, Caernarfon

Cynnwys

I SIÂN GWENLLIAN
ac
IWAN RHYS

DIOLCHIADAU

Hoffwn ddiolch i'm gwraig, Awen, am fodloni i mi ddiflannu am oriau gyda'r nos ac ar benwythnosau i ysgrifennu'r llyfr hwn. Diolchaf hefyd i fy nhad-yng-nghyfraith, Tommy Gray Edwards, am ei sylwadau ar y llawysgrif.

Rhagair

Credaf fod gan y cyhoedd ryw chwilfrydedd am gastiau a bywyd preifat meddygon. Bwriad y llyfr hwn yw bodloni'r chwilfrydedd hwnnw drwy roi darlun o fywyd ac addysg yn yr ysgol feddygol.

Mae tarddiad y gair *addysg* yn dod o'r ferf Ladin *educere*, sef darganfod gallu cynhenid yr unigolyn. Credaf mai dyna yw bwriad addysg feddygol hefyd. Ar derfyn y cyfnod hwn mae'r unigolyn wedi aeddfedu o fod yn laslanc (neu ferch) i fod yn feddyg ifanc gyda chyfrifoldebau trymion.

Nid yn unig rhaid bod yn gyfarwydd â gwahanol afiechydon a sut i'w trin ac ymgydnabod â'r dechnoleg ddiweddaraf, ond mae angen hefyd cyfathrebu â'r claf a'i deulu ac â chydweithwyr. Rhaid cael addysg i hyfforddi meddyg, wrth reswm, ond mae'r gallu i gyfathrebu â phobl yn bwysig iawn hefyd. Nid y rhai â'r gallu academaidd gorau sydd yn gwneud y meddygon gorau, bob tro. I fedru cyfathrebu yn effeithiol mae angen profiad, ac nid allan o lyfr y daw'r profiad hwnnw, ond yn nhreigl amser.

Mae cystadleuaeth ffyrnig am lefydd mewn ysgol feddygol, a phwyslais yn cael ei roi ar allu academaidd yn hytrach nag ar rinweddau eraill, yn anffodus. Pan agorwyd un o'r ysgolion meddygol diweddaraf, penderfynwyd gofyn am safon academaidd uchel iawn. Roedd yn rhaid cael graddau lefel 'A' uwch na'r cyffredin i fynd yno ond nid oedd diffyg ymgeiswyr. Canlyniad hyn oedd fod y llyfrgelloedd yn llawn a'r meysydd chwaraeon bron yn wag!

Ystyriaf fy mod wedi cael addysg feddygol gyflawn yn ystod fy nyddiau yn Lerpwl rhwng Hydref 1977 a Mehefin 1982. Dyma rai o hanesion y cyfnod hwnnw.

M.W.J.
Willaston, Cilgwri.
1990

Mynd i Lerpwl

Byddai rhai yn dadlau fod pymtheg oed yn llawer rhy ifanc i ddewis gyrfa. Serch hynny, dyna faint oedd fy oed i pan benderfynais fy mod am geisio mynd yn feddyg. Ar ôl cael canlyniadau lefel 'O' boddhaol, y cam nesaf oedd penderfynu i ba brifysgol yr awn i astudio, os byddai canlyniadau'r lefel 'A' yn ddigon da.

Bûm yn cnoi fy nghil dros y broblem a mynnais farn amryw athrawon a meddygon. Awgrymodd nifer y buasai MA (Cantab) yn ogystal â gradd feddygol yn ddechrau da iawn i yrfa meddyg ifanc. Gan ei bod yn bosibl gwneud cais i bum prifysgol i astudio unrhyw bwnc, anfonais gais i golegau Gonville a Caius, Caer-grawnt, yn gyntaf, ac yna Caeredin, Lerpwl, Manceinion a Chaerdydd.

Mae dwy ffordd o fynd i Gaer-grawnt neu Rydychen. Gellir sefyll arholiad arbennig, sy'n gofyn am gyfnod o hyfforddi neilltuol, gan fod y sylabws yn aml yn wahanol iawn i sylabws lefel 'A'. Mae rhai ysgolion, yn enwedig y rhai preifat, yn hen gyfarwydd â hyn. Ond gan nad oedd Ysgol Syr Hugh Owen, Caernafon, yn perthyn i'r dosbarth hwnnw, ceisiais am le yng Nghaer-grawnt drwy fynd am gyfweliad. Cofiaf gychwyn ar fore heulog o Hydref yn 1976, fy nhad yn gwmpeini, a finnau yn gyrru'r hen Hillman Avenger, gan fy mod wedi cael trwydded lawn erbyn hynny.

Wrth agosáu at Gaer-grawnt, roedd yr olygfa'n wych, y ddinas i'w gweld yn y pellter yng nghanol gwastadedd y Ffens, a'r haul yn isel mewn awyr ddigwmwl ar derfyn dydd. Nid dinas i foduron yw Caer-grawnt gyda'i strydoedd cul ond lle i luoedd o fyfyrwyr ar gefn eu beiciau.

Cawsom gryn drafferth i ddod o hyd i'r coleg. Felly, roedd yn rhaid gofyn am gyfarwyddyd. Gwelsom fyfyriwr yn cerdded gyda sgarff liwgar ei goleg am ei wddf ac yn cario hanner tunnell o lyfrau yn ei freichiau. Agorodd fy nhad ffenest y modur a gofynnodd yn ei acen Saesneg orau: *'Can you direct us to Gonville and Caius, please?'* gan ddweud y gair Caius fel Caiws. Felly yr oeddwn innau'n meddwl y dylid ei ynganu, hefyd.

'The first thing, my good man, is that we do not refer to it using the Gonville bit around these parts,' atebodd y myfyriwr gydag acen fel pe bai ganddo dysen boeth yn ei geg.

'The second thing is that it is pronounced "Keys" and not "Caiws".'

Yna rhoddodd gyfarwyddiadau i ni. Yn amlwg roedd yn deall y rheswm pam fod dau Gymro yng Nghaer-grawnt oherwydd edrychodd arnaf gan wenu a dweud, *'Good luck in the interview, old bean'.*

Galwasom yn y Porters' Lodge ar ôl cyrraedd gan fod ystafelloedd wedi eu trefnu ar ein cyfer. Rhyw greadur tebyg iawn i Scullion – creadigaeth Tom Sharp yng ngholeg Porterhouse – oedd ar ddyletswydd yno. Gwisgai het fowler am ei ben a dangosodd y ffordd i'n hystafelloedd. Er fy mawr syndod roedd yn fy ngalw i, yn ogystal â fy nhad, yn 'Syr'.

Roedd ein hystafelloedd yn gyfforddus iawn, yn cynnwys ystafell wely, stydi a chegin. Dywedodd Scullion wrthym am fynd i'r ystafell fwyta am bryd o fwyd ar ôl dadbacio.

Roeddem ein dau wedi ein syfrdanu gan foethusrwydd yr ystafell fwyta. Paneli coed oedd y muriau o'r

llawr i'r to gyda darluniau o ysgolheigion enwog o'r gorffennol yn edrych i lawr arnom yn bwyta'r Beef Wellington.

Gan ei bod yn dal yn eithaf cynnar, aethom am dro o gwmpas Caer-grawnt i weld y ddinas a'r colegau eraill. Aethom i mewn i dŷ tafarn am wydriad cyn mynd yn ôl i Caius, ac er ein bod yn gwybod fod yna bobl nad ydynt yn ffitio yn union i gategori dynion neu ferched, 'doedd gennym fawr o brofiad personol o hyn nes mynd i'r dafarn neilltuol yma.

Roedd yn amlwg fod y gŵr y tu ôl i'r bar wedi rhoi lliw melyn i'w wallt. Roedd ei grys yn agored at ei fotwm bol a rhyw fedal arian fawr yn hongian ar gadwyn o gwmpas ei wddf. Roedd ei drowsus braidd yn dynn – bron na allwn ddweud beth oedd ei grefydd . . .

'*Two pints of best bitter, please,*' meddai fy nhad.

'*Coming up, sweetie,*' oedd yr ateb.

Ni chlywais yn union beth ddywedodd fy nhad o dan ei wynt . . .

Eisteddasom i lawr i yfed y cwrw gan wneud yn siŵr fod ein cefnau at y mur. Ar ôl edrych o gwmpas, sylweddolais nad oedd yr un ferch yn y dafarn. Dyma, yn amlwg, un o fannau cyfarfod gwrywgydwyr y ddinas.

Drannoeth, euthum i'r cyfweliad. Roedd dau ŵr mewn oed yn fy wynebu, un ohonynt yn edrych yn union fel Magnus Pyke. Ar ôl siarad am y siwrnai i lawr ac ati, dechreuodd arni o ddifri. Nid oedd pethau'n mynd yn rhyw wych iawn a sylweddolais nad oeddwn am gael yr MA (Cantab) pan ofynnodd Magnus i mi: '*What is your opinion of contemporary Welsh literature, compared to ancient Welsh literature?*'

Ddiwrnod cyn y Nadolig cefais lythyr yn cadarnhau'r ffaith ond yn dymuno'r gorau i mi wrth chwilio am le mewn coleg prifysgol arall.

Ni dderbyniais wahoddiad gan Gaeredin ond cefais gynnig gan y dair prifysgol arall, ar yr amod fy mod yn llwyddo i gael tair gradd 'B' yn arholiad y lefel 'A'. Felly, trefnwyd i mi gael golwg ar yr ysgolion meddygol hynny.

Am ryw reswm na fedraf mo'i egluro, nid oeddwn yn hoffi'r Ysgol Feddygol ym Manceinion. Cefais yr argraff ei bod yn rhy fawr ac amhersonol. Cefais fy hebrwng o gwmpas Coleg Prifysgol Lerpwl gan feddyg o Gaernarfon, sef Dr Gwilym Jones sydd erbyn hyn yn geidwad cwsg ymgynghorol *(consultant anaesthetist)* yn Ysbyty Glan Clwyd. Bryd hynny, roedd yn gofrestrydd *(registrar)* yn Ysbyty Broadgreen. Roedd disgybl arall o Ysgol Syr Hugh Owen gyda mi, sef Brian Owen, sydd erbyn hyn yn ddeintydd yng Nghaernarfon. Yn ogystal â mynd o gwmpas y Brifysgol, cawsom fynd i mewn i ystafelloedd triniaethau llawfeddygol Broadgreen, ond cyn mynd yno, roedd angen gwisgo gwisg ac esgidiau arbennig.

Yn gyntaf gwelsom ŵr gyda gwythiennau wedi caledu (oherwydd ysmygu) yn cael llawdriniaeth gan Gymro arall, Mr Edgar Parry. Y rheswm am y driniaeth oedd nad oedd digon o waed yn mynd i lawr i'r coesau ac achosai hynny boen ac o bosib fadredd. Roedd bol y claf wedi ei agor. Dywedodd Mr Parry wrthym ei fod am dorri'r nerfau i'r gwythiennau y tu ôl i'r bol. Effaith hynny oedd gadael i fwy o waed fynd i'r coesau, lleddfu'r boen ac atal gorfod torri'r coesau i ffwrdd.

Yna gwelsom glaf anffodus gyda chancr yn ei geg. Er mwyn sicrhau bod y tyfiant yn cael ei dynnu yn ei grynswth, roedd yn rhaid tynnu asgwrn y geg a'r ên. Cymerodd y gwaith hwn oriau maith, ac yn amlwg, roedd angen gwaith cosmetig mawr ar ôl y driniaeth. Os nad oedd arwydd y deuai'r tyfiant yn ôl ymhen rhai misoedd, roedd y llawfeddyg yn bwriadu creu gên newydd gydag un o asennau'r claf.

Yn olaf, gwelsom y Llawfeddyg Tŷ yn tynnu coluddyn *(appendix)* o dan arolygiaeth y cofrestrydd. Cyn iddo ddechrau, cyfaddefodd y Meddyg Tŷ mai dyma'r tro cyntaf iddo gael gwneud hyn. Roedd hynny yn eithaf amlwg inni pan ddywedodd y cofrestrydd wrtho am wneud y toriad yn y croen gyda'r gyllell. Edrychodd y Meddyg Tŷ ar fol y claf am funud cyfan cyn gofyn ymhle i wneud y toriad!

Er fy mod wedi cael argraff ffafriol o Goleg y Brifysgol Caerdydd, Lerpwl a ddewisais, yn enwedig ar ôl y diwrnod yn Broadgreen. Credaf mai yn ystod y diwrnod hwnnw y penderfynais fy mod am fod yn llawfeddyg. Roedd cyn-ddisgyblion eraill o Ysgol Syr Hugh Owen, sef Dr Keith Harris o Nefyn a Dr Gareth Lewis Jones o Fethesda hefyd yn canmol y lle i'r cymylau. Roeddent wedi mynd yno flwyddyn o'm blaen i ac yn hoffi'r ddinas a'r Brifysgol.

Felly, i Lerpwl â mi. Roedd dau arall o'r ysgol wedi cael lle yno: Dafydd Hughes i astudio Economeg, a Paul Lunn i fynd yn filfeddyg. Yn Neuadd Derby roedd Paul a minnau am dreulio'r flwyddyn gyntaf, a Dafydd yn aros ryw hanner milltir i fwrdd ar safle Carnatic.

Ar ôl dadbacio, dyma ddechrau gwneud ffrindiau newydd. Wrth glustfeinio ar acenion nifer o'r hogiau, roedd yn amlwg nad oedd llawer ohonynt o'r un cefndir cymdeithasol â mi. O holi, deallais fod amryw wedi cael eu haddysg mewn ysgolion preifat. Er hynny, darganfûm fod nifer ohonynt â'r un diddordebau â mi, a deuthum yn gyfeillgar iawn ag amryw ohonynt.

Er gwaethaf ymdrechion Mr Iolo Huws-Roberts, cyn-brifathro'r ysgol, roedd amryw ohonom wedi profi shandi neu ddau cyn gadael yr ysgol. Er hynny, teimlad eithaf rhyfedd oedd mynd am beint y nos Sul gyntaf honno yn Lerpwl. Gan fod Sir Gaernarfon yn 'sych' yr adeg honno, nid oeddwn wedi bod mewn tŷ tafarn ar y Sul o'r blaen. I'r Brook House ar ffordd Smithdown yr aethom, trip a wnaed amryw weithiau yn ystod y flwyddyn honno . . .

Yn ogystal â Dafydd a Paul, daeth fy nghymydog newydd o'r neuadd allan gyda ni. Treuliwyd y noson yn sgwrsio. Nid oeddwn yn meddwl fod unrhyw beth anarferol ynglŷn â'r cymydog newydd nes iddo ddweud yn sydyn, ychydig cyn amser cau:

'Hoffwn i chwi wybod fy mod yn *gay*,' meddai.

Yr oeddwn wedi fy syfrdanu am eiliad. Ac yna gwelais y bechgyn yn lledwenu, o sylweddoli fy mod am fyw y drws nesaf i hwn am flwyddyn! Ar y ffordd adref, awgrymodd Paul fy mod yn gwneud yn siŵr fod drws fy ystafell wedi ei gloi cyn mynd i'r gwely!

Drannoeth, fe ddechreuodd y tymor academaidd ac euthum i'r ysgol feddygol i gyfarfod fy nghyd-fyfyrwyr. Wythnos gyffrous iawn oedd i ddilyn. Roedd angen datrys daearyddiaeth y campws, cymdeithasu, ymuno â chymdeithasau a phrynu gwerslyfrau. Gyda'r dasg olaf, roedd dwy broblem. Y gyntaf oedd eu pris drud iawn. Yr ail oedd y cyngor anghyson a roddwyd i ni ynglŷn â pha lyfrau i'w prynu. Roedd y cyngor swyddogol yn dueddol o gymeradwyo'r llyfrau mawrion drud. Yn aml iawn roedd y rhain wedi eu hysgrifennu gan ein hathrawon, felly roedd ganddynt ddiddordeb ariannol yn y dewis. Buan iawn y sylweddolwyd nad oedd ein hathrawon i'w coelio bob amser, ac mai'r ffynhonnell orau am gyngor oedd myfyrwyr rai blynyddoedd yn hŷn na ni.

Yn ystod yr wythnos gyntaf, bu amryw bobl yn siarad â ni, ond y cyngor gorau a gawsom oedd gan Lywydd

Cymdeithas y Myfyrwyr Meddygol, myfyriwr ar ei bedwaredd flwyddyn. Dywedodd wrthym am anghofio am waith academaidd am yr wythnosau cyntaf, gan na fuasem yn colli dim byd pwysig. Dywedodd hefyd fod y ffrindiau yr oeddem am eu gwneud yn ystod y dyddiau cyntaf yn debygol o fod yn ffrindiau i ni am y pum mlynedd nesaf. Felly roedd eisiau ychydig o ofal wrth wneud ffrindiau newydd. Wrth edrych yn ôl, roedd ei eiriau'n wir.

Clywsom sibrydion yn ystod yr wythnos gyntaf fod rhywbeth anarferol yn mynd i ddigwydd i ni. Nid oedd raid disgwyl yn hir i ddarganfod yn union beth. Ar y prynhawn Iau cyntaf trefnwyd taith 'swyddogol' o gwmpas yr ysgol feddygol gyda chefnogaeth y Deon ei hun. Gwisgo hen ddillad a wnaeth pawb â synnwyr cyffredin. Yn anffodus, roedd rhai o dan yr argraff fod eisiau gwisgo yn barchus am fod y Deon am fod yn bresennol a gwisgodd amryw eu dillad gorau!

I ddechrau, cawsom baned o de a theisennau hufen gyda'r Deon, yr athrawon a'r darlithwyr oedd am ein dysgu yn ystod y ddwy flynedd gyntaf. Yna rhannwyd pawb yn grwpiau o tua thri deg i fynd am daith o gwmpas yr ysgol.

Roedd yn amlwg fod rhywbeth o'i le pan arweiniwyd ni i fyny ffordd go gul a orffennai yn sydyn wrth ymyl llen o ganfas anferth. Roedd yn amhosib gweld beth oedd yr ochr arall iddi ond roedd rhyw weiddi a sŵn mawr yno. Toc, daeth yn amlwg fod cyflenwad go dda o ddŵr, blawd, wyau a hen ffrwythau gan y sawl oedd y tu ôl i'r llen, yn ôl cyflwr tua hanner dwsin o fyfyrwyr a ddaeth atom drwy dwll yn y llen.

Erbyn hyn, roedd y darlithydd oedd wedi ein harwain yno wedi diflannu, a'r rhai oedd yn gwisgo eu dillad gorau yn bur llwyd o sylweddoli yn union beth oedd i ddod. Ceisiodd un neu ddau droi'n ôl, ond roedd blaenwyr tîm rygbi'r Ysgol Feddygol ar draws y ffordd fel wal.

Fesul un, teflid ni drwy'r twll yn y llen. Yn ein hwynebu roedd tua dau gant o fyfyrwyr yr ysgol feddygol. Gan nad oedd yn bosib troi'n ôl, roedd yn rhaid rhedeg ymlaen ar hyd y llwybr cul drwy ganol y myfyrwyr am ryw ugain llath. Erbyn inni gyrraedd y pen draw roedd pawb yn wlyb at eu crwyn. Ar ôl y drochfa ddrewllyd, fe'n harweiniwyd i mewn i hen theatr ddarlithio llawfeddygaeth o Oes Victoria lle'r oedd gweddill myfyrwyr yr ysgol feddygol yn ein disgwyl gyda mwy o ddŵr a blawd. Y peth rhyfedd oedd fod y myfyrwyr eu hunain wedi gwlychu a hefyd wedi eu gorchuddio â blawd, ond deallais wedyn ei bod yn draddodiad cyfarfod oriau cyn i'r myfyrwyr newydd gyrraedd ac ymarfer drwy wlychu ei gilydd!

Roedd yr adeilad yn orlawn gyda phum cant neu fwy o gyrff gwlyb iawn ynddo. Roedd y dŵr yn troi'n stêm oherwydd gwres ein cyrff, a digon ohono i chwythu nifer o'r goleuadau! Daeth Llywydd Cymdeithas y Myfyrwyr Meddygol i mewn i'n cyfarch. Yna daeth y Deon ei hun i ddweud gair wedi gwisgo i fyny fel Miss Piggy o sioe y Muppets. Y traddodiad yw i'r Deon wneud beth bynnag a ofynnir iddo gan y Gymdeithas ar yr achlysur arbennig hwn. Roedd pethau'n ddistawach y flwyddyn honno oherwydd digwyddiad flwyddyn neu ddwy yn gynt pan fu bron i'r hen Ddeon wneud niwed corfforol mawr iddo'i hun trwy ddod i mewn wedi gwisgo fel *Hell's Angel* ar gefn beic modur mawr na allai ei reoli!

Cynnwys gweddill y cyfarfod oedd caneuon a dramâu byrion wedi eu darparu gan y myfyrwyr, ac yna tynnwyd y cyfarfod i ben gan Lywydd Cymdeithas y Myfyrwyr Meddygol (roedd hwnnw erbyn hyn yn noethlymun, yn ôl y traddodiad) yn ledio'r gynulleidfa i ganu anthem yr ysgol feddygol. Sôn am wahanol weithredoedd corfforol a'r afiechydon sydd ynghlwm â nhw a wnâi'r anthem. Yna, aeth pawb adref i newid eu dillad cyn cyfarfod yn nhŷ tafarn 'Tywysog Cymru' gerllaw.

Roedd y myfyrwyr hŷn yn gyfeillgar iawn y noson honno, ac yn awyddus i siarad â ni ac i'n croesawu, ac aeth darn go helaeth o gynnyrch bragdy Higsons i lawr ein gyddfau. Yr oedd yn amlwg nad oedd rhai o'r myfyrwyr newydd wedi arfer gofyn am gwrw mewn tafarndai. Clywais un yn gofyn am 'beint o gwrw, os gwelwch yn dda'. Edrychodd y tafarnwr arno'n syn a gofyn sut fath o gwrw oedd arno ei eisiau. Nid oedd gan y myfyriwr syniad. Bu'n rhaid i'r tafarnwr roi darlith fer iddo gan egluro fod cwrw chwerw, mwyn, stowt a lager i'w gael yn ogystal â seidir. Credaf iddo dreulio gweddill y noson yn blasu'r gwahanol fathau oedd ar werth. Pan ddaeth yn amser cau, aeth y rhan fwyaf o'r rhai oedd yn medru sefyll (ac un neu ddau na fedrent) i lawr i glwb nos y 'Cabin' yn y ddinas, lle y daethom yn gyfarwydd iawn â fo yn ystod y blynyddoedd oedd i ddod.

Mae'r 'Cabin' yn gyfarwydd iawn i genedlaethau o feddygon, nyrsys, myfyrwyr, aelodau o'r heddlu a gweithwyr eraill ysbytai'r ddinas. Anodd iawn deall pam ei fod yn glwb mor boblogaidd. Yn un peth, roedd angen aros y tu allan mewn ciw am gryn amser cyn mynd i mewn, hyd yn oed os oedd hi'n bwrw glaw. Roedd y tâl mynediad yn uchel iawn, a chodid prisiau uwch nag arfer am y cwrw. Ar ben hynny, roedd y lle yn eithaf budr, y carpedi wedi gwisgo mewn mannau helaeth, a'r darnau oedd ar ôl wedi eu mwydo mewn cwrw ac yn peri i sgidiau rhywun lynu wrtho.

Buom yn y 'Cabin' hyd nes i'r lle gau tua hanner awr wedi dau o'r gloch y bore. Erbyn dod allan, roedd eisiau bwyd ar nifer ohonom, a cheid nifer o dai bwyta ar agor yr adeg hon o'r bore. Yna, tacsi i'n cludo yn ôl adref. Er nad oeddem yn sylweddoli hynny, roeddem yn sefydlu patrwm ar gyfer pob nos Iau ar ôl cyfarfodydd wythnosol Cymdeithas y Myfyrwyr Meddygol.

Y Blynyddoedd Cynnar

Mae'r cwrs meddygol yn parhau dros gyfnod o bum mlynedd, a rhennir ef yn ddwy ran. Am y ddwy flynedd gyntaf, mae'r pwyslais ar astudio anatomeg, ffisioleg a biocemeg y corff iach yn y labordy. Ar ddiwedd y cyfnod hwn, cynhelir arholiad y '2nd MB'. Saif MB am Faglor mewn Meddygaeth. Nid oes '1st MB' mwyach. Yn yr hen ddyddiau, roedd blwyddyn ychwanegol ar ddechrau'r cwrs yn terfynu â'r arholiad '1st MB'. Roedd y sylabws rywbeth yn debyg i lefel 'A' er mwyn galluogi'r rhai oedd wedi astudio'r celfyddydau yn yr ysgol i fynd i astudio meddygaeth.

Rhoddir pwyslais mawr ar anatomeg ac yr oedd yn angenrheidiol bod yn fanwl gyfarwydd â'r gwahanol ddarnau o'r corff, ac er bod darlithoedd ar y pwnc, roedd angen astudio a dadelfennu corff marw. Nid oedd llawer ohonom wedi gweld corff marw cyn mynd i'r ysgol feddygol. Roedd tro ar fyd yn ein haros y diwrnod yr aethom i mewn i'r ystafell ddadelfennu am y tro cyntaf.

Yn yr ystafell hon yr oedd tua deg ar hugain o fyrddau dur, ac arnynt gorweddai'r cyrff wedi eu gorchuddio â llen rwber goch. Byddai'n anodd dyfalu beth oedd wedi ei guddio o dan y llenni oni bai fod ambell i law neu droed oer a llwydaidd yn ymddangos odditanynt. Y peth cyntaf a'm tarawodd oedd arogl y lle, oherwydd er mwyn cadw'r cyrff rhag pydru roeddent wedi cael eu trin â fformalin.

Rhennid pob corff rhwng tua deuddeg myfyriwr.

Dadelfennid y fraich gan bedwar myfyriwr o'r flwyddyn gyntaf, y goes gan bedwar o'r ail flwyddyn, a'r pen a'r gwddf gan bedwar deintydd. Fel yr âi'r tymor ymlaen, byddai'r frest a'r bol yn cael eu harchwilio. Ar ôl dadelfennu rhan, fe'i rhoddid mewn pwcedi dur o dan y bwrdd ac yna fin nos, fe'i cludid ymaith gan y merched glanhau. Fesul tipyn, felly, roedd y corff yn diflannu. Credaf fod y corff yn cael ei gladdu yn ôl dymuniadau'r sawl oedd wedi ei roi at bwrpas gwyddonol, ar ôl i ni orffen â fo, neu yn mynd i'r amlosgfa.

Y cyfarpar safonol ar gyfer y gwaith hwn oedd côt wen (o'r siop 'Army and Navy'), cyllell finiog, gefail fain a llyfr yn egluro sut i ddadelfennu, er mwyn galluogi'r cyw meddyg i weld y manylion! Byddai rhai o'r merched yn gwisgo menig golchi llestri rhag gorfod cyffwrdd y corff yn uniongyrchol. Mantais arall o wisgo'r menig oedd peidio â chael arogl fformalin ar y bysedd, yn enwedig amser bwyd. Nid oedd hyn yn poeni pawb, a

gwelais ambell fyfyriwr awyddus yn dadelfennu drwy'r amser cinio ac yn bwyta brechdanau ar yr un pryd! Ond nid oedd y dadelfennu'n plesio pob un. Roedd ambell fyfyriwr yn anhapus iawn yn gorfod ei wneud a gadawodd dau y cwrs ar ôl ychydig wythnosau.

Er bod yr ystafell yn llawn o gyrff marw, nid oedd hynny'n creu iselder ysbryd i'r rhan fwyaf ohonom – yn wir, roedd digon o hwyl i'w gael yno. Ambell dro byddai rhywun yn gweiddi o ben arall yr ystafell: 'Ydach chi eisiau *hand* hefo dadelfennu draw yna?' A'r eiliad nesaf byddai llaw un o'r cyrff yn hedfan drwy'r awyr!

Cynhelid arholiadau llafar bob rhyw dair wythnos. I ennill gradd 'A', roedd yn rhaid bod yn arbennig o dda. Gradd 'B' neu 'C' oedd y graddau arferol, a rhai yn aflwyddiannus ac yn gorfod ailsefyll. Unwaith yn unig y cefais radd 'A' yn ystod y cyfnod hwn a hynny oherwydd nerth bôn braich yn hytrach na nerth ymennydd! Roedd llawer o'r gwaith darlithio ac arholi yn cael ei wneud gan arddangoswyr – meddygon newydd orffen eu blwyddyn fel Meddyg Tŷ ac yn bwriadu mynd yn llawfeddygon. Roedd cyfnod fel hwn yn rhoi digon o amser iddynt astudio ar gyfer arholiadau uwch. Roeddwn yn bur gyfeillgar ag un arddangoswr a gredai ei fod yn un go dda am ymgodymu â'i fraich. Yn y Cinio Meddygol yn ystod fy ail flwyddyn rhoddais sialens iddo, sef y rhoddai radd 'A' i mi y tro nesaf y byddai yn fy arholi , os enillwn. Cytunodd, ac ar ôl gornest hir ac agos, collodd. Fe fuasai'r hen athro Harrison yn troi yn ei fedd pe gwyddai am y trefniant hwn!

Mor ddiddorol oedd anatomeg i rai o'r myfyrwyr fel y byddent yn treulio eu hamser cinio yn astudio anatomeg byw i lawr yn yr 'Hoffbrauhaus' gyda stein neu ddau o lager. I'r rhai nad ydynt yn gyfarwydd â'r sefydliad hwn, tafarn ar batrwm y rhai yn Bafaria ydoedd, ac er mwyn denu a diddori cwsmeriaid, byddai merched yn dawnsio ar lwyfan ac yn diosg eu dillad yn araf gan roi cyfle da i astudio eu hanatomi!

Ffisioleg oedd fy hoff bwnc i, sef astudio gwahanol weithredoedd y corff, ac yn y labordy gwneid llawer o'r gwaith ar greaduriaid fel llyffantod er mwyn darganfod effaith gwahanol gyffuriau ac ati. Gwn nad yw hyn yn dderbyniol gan bawb, ond dyna oedd y drefn, a theimlad y mwyafrif ohonom oedd ei fod o werth addysgol i ni.

Yn ogystal ag astudio biocemeg, roedd yn rhaid astudio cemeg organeg byw hefyd. Teimlad y myfyrwyr ar y pryd oedd fod hyn yn wastraff amser llwyr ac nad oedd dim perthynas rhyngddo â meddygaeth bob dydd. O edrych yn ôl, nid wyf wedi newid fy marn. Credaf mai'r unig reswm dros gynnwys y pwnc yn y sylabws oedd fod yr adran cemeg organeg byw yn cael arian gan y Brifysgol am ein dysgu.

Cyfnod digon diflas oedd yr wythnosau cyn arholiad y '2nd MB'. Gwyddai pawb fod yr arholiadau yn anodd ac y byddai nifer yn aflwyddiannus, fe arfer. Felly nid aem allan mor aml gyda'r nos. Roedd yn rhaid gwneud y gwaith adolygu.

Roedd pawb yn gorfod eistedd papur ysgrifenedig yn y tri phwnc. Os oedd y marciau ar yr ochr isel byddai'n rhaid eistedd arholiad llafar er mwyn ceisio ennill marciau. Roedd arholiad llafar hefyd i'r rhai oedd wedi gwneud yn arbennig o dda er mwyn penderfynu pwy oedd i gael y gwobrwyon. Bûm yn ffodus, a chefais arholiad llafar mewn ffisioleg am y fedal. Rhywun arall a'i cafodd. Ar ôl hynny cefais gynnig gwneud gradd BSc anrhydeddus mewn ffisioleg am flwyddyn, ond gwrthodais oherwydd fy mod yn awyddus i fynd ati i weld ac astudio cleifion byw yn hytrach na gweithio yn y labordy am flwyddyn. Ambell dro, byddaf yn edifar na wnes gwrs gradd BSc.

Ar ôl yr arholiadau, teimlem ollyngdod mawr. Gorffennodd yr arholiad olaf am hanner dydd ac yna tyrrodd pawb i dafarn 'Tywysog Cymru'. Yr unig beth a amharai ar y diwrnod oedd arferiad yr athro patholeg, sef rhoi darlith bob blwyddyn ar brynhawn olaf yr arholiadau er y gwyddai fod rhan helaeth o'r gynulleidfa wedi meddwi, ac os nad yn cysgu, yna yn gorfod codi yn aml i fynd i'r cyfleusterau. Gorfodid pawb i fod yno a chedwid cofrestr o enw pob myfyriwr. Roedd absenoldeb unrhyw un yn gwylltio'r athro a byddai hyn yn cael ei ddal yn ein herbyn mawn arholiadau yn y dyfodol.

Yn 1982, aeth pethau dros ben llestri. Yn hytrach na rhoi darlith mewn ystafell dywyll gyda seddau cyffordddus i bawb gysgu ynddynt, penderfynodd yr athro orfodi pawb i fynd i'r labordy i wneud gwaith ymarferol ac edrych i lawr y meicroscop. Nid oedd hynny'n plesio'r myfyrwyr o gwbl, ac yn ystod y wers, ymosodwyd ar y darlithwyr gyda bomiau dŵr a gwnaed niwed i nifer o gelfi. Bu stŵr mawr ar ôl hynny.

Ochr fwy difrifol i'n haddysg ydoedd patholeg, sef astudio afiechydon. Rhan o waith patholegydd yw gwneud archwiliad *post mortem* ac roedd yn orfodol i ni fynd i weld y broses. Cynhelid yr archwiliadau hyn yn yr ysbyty os oedd y claf wedi marw yno, ond ym Marwdy'r ddinas yr archwilid y rhai oedd wedi marw y tu allan i'r ysbyty. Yn aml iawn deuid o hyd i grwydryn a fu farw rai dyddiau neu wythnosau ynghynt, a byddai'r corff wedi dechrau pydru a drewi.

Cofiaf y tro cyntaf i mi fynd i Farwdy'r Ddinas, mewn stryd gefn ger yr hen Ysbyty Frenhinol. Tybiaf fod y cynorthwywr a weithiai yno wedi ymddeol ar ôl cyfnod o weithio i gwmni ffilmiau Hammer. Ef a chwaraeai ran y cymeriad Igor, sef cynorthwywr Dr Frankenstein. Aeth tuag ugain ohonom i mewn i'r ystafell lle gorweddai'r corff o dan len a dim ond y traed yn y golwg yn y gwaelod. Gan nad oedd y patholegydd wedi cyrraedd, roedd gennym ychydig o amser i edrych o gwmpas yr ystafell. Sylweddolodd un ohonom fod rhywbeth tebyg i wallt i'w weld rhwng traed y corff. Codwyd y llen. Gorweddai pen y corff rhwng y traed, yn amlwg wedi ei dorri i ffwrdd. Ar ôl i'r patholegydd gyrraedd, cawsom yr hanes. Gŵr yn ei ugeiniau yn dioddef o iselder ysbryd ers blynyddoedd oedd yr ymadawedig. Roedd newydd gael ei ryddhau o ysbyty'r meddwl a'r peth cyntaf a wnaeth oedd gorwedd ar y rheilffordd rhwng Lerpwl a Manceinion a disgwyl am y trên . . .

Fel y soniais, yn Neuadd Derby yr oeddwn yn aros yn ystod y cyfnod hwn, sef y neuadd hynaf yn y Brifysgol, ac yn fy nhyb i, yr orau. Roedd ei hadeiladwaith yn bleser i'r llygad gyda gerddi eang wedi eu cadw'n ardderchog a chyrtiau tennis heb eu hail.

Ar y Sul, roeddem yn gorfod gwisgo gown academaidd du i fynd i ginio, ac arferai pawb fynd am goffi i'r neuadd fawr ar ôl hynny. Dynion yn unig oedd yno. Yn ystod amser arholiadau roedd hyn yn fendith, oherwydd sylwais fod merched yn troi'n greaduriaid hollol niwrotig, anodd iawn ymwneud â nhw, bryd hynny. Bendith arall oedd fod yno dîm rygbi eithriadol o dda. Ni chefais gyfle i chwarae iddynt oherwydd fod fy nyletswydd i gyda thîm yr Ysgol Feddygol a chwaraeai yr un pryd â hwy.

Atgofion hapus sydd gennyf am Derby, a'r rhan fwyaf o'r myfyrwyr a'r staff yn cyd-dynnu. Roedd un eithriad, fodd bynnag: cymeriad diserch oedd yno'n ddiwtor a hefyd yn ddarlithydd yn y Brifysgol. Roedd yn barod i gweryla ar yr esgus lleiaf a phrin yr oedd gair da i'w glywed amdano.

Cefais innau brofiad o dynnu'n groes iddo un noson. Roeddwn yn sefyll yn y bar yn cael sgwrs ar ôl noson o adolygu, fy nghefn yn pwyso ar gadair. Yn sydyn, llithrodd y gadair yn ôl a disgynnais. Aeth fy ngwydryn o'm gafael a chafodd y tiwtor drochfa. Gwylltiodd yn gacwn a chefais fy nghyhuddo o wneud y peth yn fwriadol. Ceisiais ymddiheuro, ond i ddim pwrpas.

'Rhaid i ti ddod hefo mi i weld y Warden bore fory am naw o'r gloch,' rhuodd, cyn diflannu i'w ystafell.

Ni chymerais y peth o ddifri a wnes i ddim mynd i weld y Warden drannoeth. Roeddwn wedi anghofio am y peth nes i mi siarad â'r Warden ddiwedd y flwyddyn i ffarwelio ag ef am fy mod yn symud allan gyda ffrindiau. Roeddwn ar delerau da â'r Warden ac fe ddywedodd wrthyf yn ddistaw bach fod y tiwtor wedi ceisio ei gael i'm taflu allan o'r neuadd, ond gwrthododd y Warden wneud hynny. Roedd yn amlwg yn gwybod am ei dymer ddrwg.

Mae un digwyddiad arall yn aros yn fy meddwl, yn dangos y drwgdeimlad rhwng y bechgyn yn Neuadd Derby a'r tiwtor arbennig hwnnw. Ddiwedd y flwyddyn arferid tynnu llun pawb yn y neuadd ar ôl cinio Dydd Sul, felly roedd pawb wedi gwisgo'r gown angenrheidiol ac eisteddai staff y neuadd yn y rhes flaen yn gwisgo eu gwisg academaidd. Fel yr eisteddai pawb yn eu lle, yn barod i dynnu eu llun, taflwyd tri wy o wahanol gyfeiriadau tuag at y tiwtor. Cafodd dau ohonynt *bull's eye!*

Roedd y tiwtor wedi gwisgo ei wisg PhD goch ar gyfer yr achlysur ac mae'r rhain yn gostus iawn. Credaf mai £90 oedd y swm a sgrechiodd y tiwtor pan welodd y difrod a wnaethai'r wyau. Bu helynt mawr. Gwaharddwyd pawb rhag defnyddio cyfleusterau fel y teledu, y bwrdd snwcer a'r bar nes i'r rhai oedd yn gyfrifol gyffesu. Cyfaddefodd y rhai euog, rhag peri diflastod i'r gweddill. Ystyrid y peth mor ddifrifol fel nad oedd dewis gan y Warden ond gorfodi'r troseddwyr i adael y neuadd o fewn wythnos. Gan fod y tymor bron ar ben, a'r troseddwyr yn bwriadu gadael y neuadd beth bynnag, nid oedd hyn yn fawr o gosb, ac edrychid arnynt fel arwyr yn hytrach na throseddwyr gan yr hogiau! Nid arhosodd y tiwtor yn Neuadd Derby yn hir iawn wedyn.

Ddiwedd y flwyddyn gyntaf, penderfynais symud i fyw gyda thri myfyriwr meddygol arall. Rhodri, Cymro o Gaerdydd oedd un ohonynt. Er ein bod yn siarad yr un iaith, roedd yr acen wahanol a'r dafodiaith yn achosi trafferth o bryd i'w gilydd, a newidiem i'r Saesneg. Digwyddodd yr un peth flynyddoedd yn ddiweddarach pan geisiwn siarad Cymraeg gyda phobl Cwm Tawe a minnau'n gweithio yn Abertawe. Dywedodd un Hwntw mewn oed a siaradai Gymraeg wrthyf unwaith: *'Jiw, jiw, boy! Speak English so that I can understand you!'*

Er bod Rhodri a minnau'n cyd-dynnu'n dda, nid oedd pethau'n rhy dda rhyngom ni a'r ddau arall yn y fflat, sef bachgen a merch. Ddechrau'r flwyddyn, roedd y ddau yn gariadon, ond aeth pethau o chwith rhyngddynt yn ystod y flwyddyn a bu cryn groesdynnu yn y fflat. Ddiwedd y flwyddyn honno aeth pawb i'w ffordd eu hunain. Digwyddodd hyn i lawer o fyfyrwyr oedd yn rhannu tai a fflatiau y flwyddyn honno. Ddiwedd y flwyddyn, penderfynais symud i fyw gyda myfyrwyr meddygol eraill mewn tŷ a adwaenid fel Rhif Chwech.

Ddechrau'r drydedd flwyddyn, roedd y pwyslais yn symud oddi wrth wyddoniaeth sylfaenol at astudiaeth o'r claf a'i afiechyd, a pharhâi'r pwyslais hwn weddill y cwrs. Er mwyn cael profiad eang, roedd pob maes yn cael ei astudio yn ei dro.

Er mwyn hwyluso hynny, rhannwyd ni yn wahanol grwpiau, gyda phob grŵp yn astudio'r gwahanol feysydd yn eu tro. Tua 8 neu 10 o fyfyrwyr oedd mewn grŵp fel arfer a gelwid y grŵp yn *firm*. Byddai pob *firm* o dan ofal un neu fwy o ymgynghorwyr a'u cyfrifoldeb hwy oedd dysgu'r maes i'r myfyrwyr yn ystod yr amser penodedig. Roedd gennym ni, y myfyrwyr, rywfaint o ryddid i drefnu'r grwpiau, a'r duedd oedd i gyfeillion aros gyda'i gilydd. Meddygaeth a llawfeddygaeth oedd y prif feysydd dan sylw.

Yn gyfrifol am fy ngrŵp cyntaf roedd tri ffisegwr sydd yn adnabyddus i lawer yng ngogledd Cymru, sef Dr Colin Ogilvie, Dr A. J. Robertson a Dr Charles McKendrick, Ysbyty Frenhinol Lerpwl. Un o'r pethau cyntaf yr oedd yn ofynnol iddynt ei wneud oedd ein dysgu sut i gael gwybodaeth am yr afiechyd gan y claf ei hun, ac mae ffordd bendant o wneud hyn. Mae'n grefft sydd angen ei hymarfer ac nid yw'r broses byth yn dod i ben. Mae hyd yn oed y meddyg mwyaf profiadol yn dal i ddysgu rhywbeth newydd, o dro i dro.

Yn ogystal â dysgu sut i gael hanes yr afiechyd, mae'n rhaid hefyd ddysgu sut i archwilio'r claf o'i gorun i'w sawdl fel bod y nam lleiaf yn cael ei ddarganfod. Yn naturiol mae'r rhan fwyaf o'r cleifion yn teimlo'n ddigon annifyr wrth gael eu harchwilio, ond ar ddechrau eu gyrfa, credaf fod y myfyrwyr yn teimlo'n fwy ansicr na'r claf wrth fwnglera drwy eu harchwiliadau cyntaf! Ar ôl dau neu dri mis o ymarfer, mae'r myfyriwr yn dechrau magu rhywfaint o hunan-hyder.

Roedd yn orfodol ambell dro i dreulio noson yn byw i mewn yn yr ysbyty gan ddilyn y Meddyg Tŷ o gwmpas ei waith. Ar y dechrau, gwylio yn unig a wnaem, ond ar ôl cyfnod fe ganiateid i'r myfyrwyr fynd i weld y claf o flaen meddygon eraill, oni bai fod y claf yn rhy wael ac felly mewn perygl. Bryd hyn, câi'r myfyriwr gyfle i benderfynu drosto'i hun beth oedd yn bod ar y claf, a chymharu ei ddiagnosis ef gydag un y Meddyg Tŷ. Byddai'r ddau'n cytuno'n amlach fel y byddai'r myfyr-iwr yn ennill mwy o brofiad!

Roedd hwn yn gyfnod eithaf cyffrous yn hanes undebau llafur yr ysbyty, a chynhelid nifer o streiciau. Cofiaf i un o weithwyr y gegin gael ei gyhuddo o fod yn absennol o'i waith yn rhy aml oherwydd ei waith fel swyddog undeb. Ymatebodd drwy alw gweithwyr y gegin allan ar streic! Nid oedd bwyd ar gael i neb ond y cleifion, a gwnaeth y siop sglodion ger yr ysbyty fusnes ardderchog am sbel. Yn ystod streic arall, roedd y porthorion i gyd yn absennol a neb i symud y cleifion o gwmpas yr ysbyty. Cafodd y myfyrwyr meddygol yr anrhydedd o fod yn borthorion answyddogol dros dro. Yn ogystal â chludo'r cleifion byw, roedd yn rhaid hefyd cludo'r rhai oedd wedi marw i dŷ'r meirw pan fyddai angen.

Ar ôl tri mis o feddygaeth, daeth yn amser astudio llawfeddygaeth, eto yn yr Ysbyty Frenhinol. Yn ogystal â gweld cleifion ar y wardiau ac yng nghlinig y maesgleifion, roeddem hefyd yn cael mynd i'r theatr.

Nid gwylio llawdriniaethau yn unig yr oeddem, oherwydd caem gynorthwyo'r llawfeddygon weithiau, ond cyn cael gwneud hynny roedd angen dysgu sut i wneud dau beth yn ddiogel, sef sut i olchi'r dwylo a'r breichiau'n iawn rhag i'r claf gael briw heintus, a dysgu sut i wisgo gwisg arbennig a menig. Roedd hyn yn gallu bod yn dipyn o gamp, yn enwedig o dan lygaid barcud y nyrsys.

Eto, roedd yn rhaid byw i mewn. Os byddai'r ysbyty yn eithaf distaw gyda'r nos byddem yn treulio ein hamser i lawr yn yr Adran Ddamweiniau, yn dysgu sut i bwytho cleifion. Fel arfer, y cleifion mwyaf addas i fyfyrwyr ymarfer arnynt oedd y meddwon ac roedd digon o'r rheini ar gael yn Lerpwl. Ni fyddai'r rhai mwyaf meddw angen anaesthetig lleol o gwbl!

Un nos Sul tra oeddwn yn byw i mewn yn yr ysbyty daeth galwad frys – damwain car gerllaw a'r gyrrwr wedi ei gaethiwo yn y modur. Cefais gyfle i fynd yn yr ambiwlans gyda'r meddygon. Roedd y modur wedi mynd yn erbyn polyn, yn groes i'r ffordd. Y peth cyntaf y sylwais arno oedd fod aroglau diod yn gryf ar anadl y gyrrwr. Cafodd y Frigâd Dân dipyn o drafferth i'w gael allan o'r modur cyn iddo fynd i'r ysbyty yn yr ambiwlans.

Gyrrwyd yr ambiwlans ar frys yn ôl i'r ysbyty, y corn yn swnio a'r goleuadau'n fflachio. Canlyniad hyn oedd bod ei chynnwys yn cael ei daflu o gwmpas, ac o edrych ar y claf a oedd wedi ei strapio ar y gwely, synnais o weld nad oedd gwaelod ei goes yn symud yr un pryd â gweddill ei gorff. Ar ôl torri coes ei drowsus i ffwrdd, gwelsom ei bod wedi torri, a darnau o asgwrn yn dod allan o friw mawr. Bu'r claf yn y theatr am gryn amser, y noson honno.

Ar ôl pob amgylchiad fel hwn, roedd yn draddodiad

i'r myfyrwyr a'r meddygon fynd allan am bryd o fwyd gyda'i gilydd. Y tro cyntaf y digwyddodd hyn, dewiswyd mynd i dŷ bwyta Sieineaidd ac mae nifer o rai ardderchog yn Lerpwl. Ar ôl eistedd wrth y bwrdd, sylwais nad oedd na chyllell na fforc i'w gweld yn unman. Dim ond gweill bwyta oedd ar gael. Nid oeddwn wedi eu defnyddio o'r blaen ond gallaf ddweud o brofiad fod dyn llwglyd yn dysgu sut i'w defnyddio yn fuan iawn!

Daeth diwedd y flwyddyn i ben ac edrychai pawb ymlaen at wyliau'r haf. I gadw'r sefyllfa ariannol yn iach, arferwn fynd i weithio fel coedwigwr ar stad Coleg Amaethyddol Glynllifon bob blwyddyn er pan oeddwn yn yr ysgol. Cadw trefn ar y coed ifanc oedd y gwaith mwyaf, ac roedd hyn o dan ofal y coedwigwyr arferol sef Williams y Ffort, Wil Lodge a Gwydion Morley. Roeddwn yn mwynhau'r gwaith yn arw. Roedd hi'n braf cael bod allan yn yr awyr agored ar ôl gweithio mewn adeiladau caeedig am wythnosau benbwygilydd.

Ar adegau prysur ar fferm y coleg, byddai rhai o'r coedwigwyr yn mynd yno i gynorthwyo. Yno y deuthum ar draws fy nghleifion preifat cyntaf a bûm yn ymarfer ychydig o lawfeddygaeth arnynt – sef cweirio moch bach. Byddai'r moch anffodus yn cael eu dal â'u pennau i lawr a'u coesau ôl ar led. Yna, glanheid y rhan briodol gydag antiseptig. Gyda chyllell gwnawn doriad bach yn y croen cyn gwasgu'r garreg allan, a rhaid oedd torri'r bibell had â'r gyllell cyn rhoi plwc i'r garreg a'i thynnu i ffwrdd a'i thaflu i'r cŵn. Byddai'r symudiad hwn yn peri i'r wythïen gau a pheidio gwaedu. Yna rhoddid antibeiotig ar y briw. Unwaith y gollyngid y moch, byddent yn rhwbio'r briwiau yn y budreddi ar y llawr a'r hyn oedd yn fy synnu oedd mor anaml yr oedd gwaedu neu haint yn mennu arnynt. Credaf y bydd y darllenydd yn falch o glywed fod techneg fasectomi ychydig bach yn wahanol!

Er fy mod wedi darllen am epilepsi yn ystod y flwyddyn, nid oeddwn wedi gweld neb yn cael ffit nes y bu digwyddiad yng Nglynllifon. Roedd nifer o fyfyrwyr eraill yn gweithio yno, rhai ohonynt yn fechgyn ysgol ac yn awyddus iawn i yrru'r tractor a ddefnyddiem i symud o gwmpas y stad. Roedd ar un ohonynt eisiau gyrru o hyd, ac eisiau gyrru'r tractor i lawr at y plas amser cinio, ond penderfynais mai fy nhro i oedd hi. Pwdodd y bachgen ysgol.

Cafodd y stad ei henwi yn Glynllifon oherwydd fod afon Llifon yn rhedeg drwyddi. Mewn un man, rhaid croesi'r afon dros bont sydd ryw ddeugain troedfedd o uchder a dim ond wal gerrig isel yn ochrau iddi. Fel roeddem yn mynd dros y bont, clywais weiddi mawr yn dod o'r tu cefn i mi lle'r oedd yr hogiau eraill yn trafaelio ar drelar. Edrychais yn ôl gan feddwl mai tynnu fy nghoes yr oeddynt. Mae'r olygfa a welais yn dal i godi arswyd arnaf hyd heddiw. Roedd y bachgen oedd wedi creu stŵr am ei fod eisiau gyrru wedi disgyn ymlaen a'i ben wedi mynd rhwng olwyn ôl y tractor a'r gwarchodydd llaid. Gan fod y tractor yn dal i symud, roedd ei ben yn cael ei ysgwyd yn ffyrnig gan ddarnau mawr o rwber olwynion ôl y tractor. Rhoddais fy nhroed ar y brêc a sglefriodd y tractor nes llonyddu, gan godi cwmwl mawr o lwch. Ceisiodd yr hogiau ryddhau ei ben ond roedd wedi ei ddal yn rhy dynn a bu'n rhaid i mi bacio'r tractor yn ôl rhyw droedfedd cyn llwyddo i'w gael yn rhydd.

Ar ôl ei dynnu oddi yno, roedd golwg wael iawn arno, ei gorff yn cynhyrfu drosto, ei anadlu yn anarferol a lliw ei groen yn las. Ychydig o wythnosau cyn hyn gwelswn fodur yn mynd dros gath fach oedd yn chwarae oddi tano, yn amlwg wedi gwneud niwed angeuol iddi. Cyn iddi farw, roedd symudiadau'r gath yn union fel rhai'r hogyn yma ar ôl ei dynnu oddi ar olwyn y tractor, a minnau'n sicr fy mod yn dyst i'w funudau olaf. Yr ofn mawr yn fy meddwl oedd fod fy ngyrru i wedi bod ar fai, ac imi achosi iddo ddisgyn ymlaen.

Yr unig beth i'w wneud oedd ei droi ar ei ochr rhag iddo daflu i fyny a mygu. Anfonwyd un o'r hogiau i chwilio am gymorth o'r fferm. Gyrrodd hwnnw mor wyllt, wedi cynhyrfu gymaint, fel y tarawodd wal ochr y ffordd nifer o weithiau yn ei frys. Ar ôl dau neu dri munud o ddisgwyl, digwyddodd rhywbeth cyffelyb i wyrth Lasarus. Dechreuodd y claf anadlu yn rhydd, daeth rhywfaint o liw yn ôl i'w wyneb ac mewn rhai eiliadau daeth ato'i hun, gan eistedd i fyny a gofyn:

'Ew, be' ddigwyddodd, bois?'

Ochneidiais mewn rhyddhad.

O holi'r hogiau deallais ei fod wedi mynd yn llipa cyn disgyn ar yr olwyn. Wedi cael ffit yr oedd, yn hytrach na disgyn oherwydd fy ngyrru i. Aed â fo i'r ysbyty ym Mangor, er iddo ddod ato'i hun. Ar ôl archwiliad pelydr-X darganfuwyd ei fod wedi torri asgwrn ei benglog a bu'n rhaid iddo aros yn yr ysbyty dros nos.

Ar ôl rhai wythnosau o waith corfforol, roeddwn yn barod i fynd yn ôl i Lerpwl i ddechrau'r bedwaredd flwyddyn. Y meysydd i'w hastudio yn awr oedd obstetreg, afiechydon merched, afiechydon plant, ymarfer cyffredinol a seiciatreg.

Un o'r cyfnodau caletaf yn gorfforol oedd yr amser a dreuliais yn astudio obstetreg yn Ysbyty Mill Road, mewn ardal dlawd iawn o Lerpwl. Mae golwg braidd fel carchar ar y lle. Ar ôl cyrraedd yno fore Llun gyda'n paciau, disgwylid i ni fyw i mewn yno am chwech wythnos gyfan.

Dod yn gyfarwydd â'r broses o enedigaeth oedd

pwrpas y cyfnod hwn. Gofynnid i ni weld deg genedigaeth cyn cael ymdrin ag un ein hunain. Pur anaml y gwelir merch briod yn glaf yno, a chyffredin iawn oedd genethod yn eu harddegau cynnar. Un o'n dyletswyddau blin oedd gorfod pwytho ar ôl genedigaeth. Digwyddai hyn amryw weithiau ganol nos ac roedd yn rhaid codi o'r gwely clyd. Balch iawn oeddwn pan ddaeth y cyfnod i ben, ond roedd yn ymarfer da erbyn y flwyddyn fel Meddyg Tŷ.

Roedd y meddygon a'r gweithwyr eraill yn garedig dros ben, yn enwedig gweithwyr y tŷ bwyta. Roedd y rheini yn ein trin fel un o'r teulu a rhoddodd bawb ar y *firm* bwysau ymlaen yn ystod y cyfnod hwn! Roedd digon o hwyl i'w gael yno hefyd. Un o'r achlysuron cofiadwy oedd yr adeg y daeth un o'r ymgynghorwyr o amgylch ei gleifion, ac angen rhoi archwiliad mewnol i un o'r cleifion. Yn ddigon naturiol roedd honno'n swil iawn wrth orwedd yn noeth o'i chanol i lawr o flaen criw o feddygon a myfyrwyr. Yn ystod yr archwiliad rhoddodd y claf floedd uchel dros y lle gan beri i'r ymgynghorydd feddwl ei fod wedi ei brifo. Wrth iddi sgrechian, pwyntiai at y ffenestr. Yno, â'i geg yn agored, roedd y dyn glanhau ffenestri ar ben ei ysgol gyda'i fwced a'i glwt!

Mewn ardal dlawd fel hon roedd trosedd yn beth eithaf cyffredin. Un bore roeddwn yn digwydd edrych allan drwy'r ffenestr pan welwn ddynion yn lladrata arian o fan Securicor oedd wrthi'n danfon y cyflogau i'r ysbyty!

Hamddenol iawn oedd astudio afiechydon merched o'i gymharu ag obstetreg. Roedd yr ymgynghorydd yn arfer mynd â phawb yn ei dro i dreulio wythnos gyfan gydag ef. Y bwriad oedd gweld sut yr oedd ymgynghorydd yn byw, yn ogystal â chael ychydig o addysg feddygol.

Dysgais ddau beth yn ystod yr wythnos honno. Yn gyntaf, fod ymgynghorwyr mewn obstetreg ac afiechydon merched yn byw yn eithaf cyfforddus, o'r hyn a welais wrth fynd i'w gartref am bryd o fwyd. Yn ail, fod hyd yn oed ymgynghorwyr yn mynd yn rhy hen i ddringo coed. Treuliais un prynhawn yn ei berllan yn dringo ei goed gellyg ac afalau yn casglu ffrwythau. Chwarae teg iddo, ces focsiaid ohonynt i fynd adref gyda mi.

Ar derfyn y cyfnod, rhaid oedd ysgrifennu adroddiadau llawn am rai o'r cleifion a welsem, a'r marciau yn mynd at yr arholiad terfynol. Gan fod hyn yn cymryd amser, byddai nifer ohonom yn defnyddio adroddiadau myfyrwyr y blynyddoedd blaenorol. Roedd rhai o'r adroddiadau wedi ei hysgrifennu flynyddoedd yn gynt. Un flwyddyn cafodd un o'r myfyrwyr ei alw i weld un o'r darlithwyr a oedd wedi bod yn edrych dros rai o'r adroddiadau ac wedi dod ar draws un yr oedd ef ei hun wedi ei ysgrifennu!

Treuliais dri mis yn astudio afiechydon plant yn Ysbyty Alder Hey yn Lerpwl. Yn ystod y cyfnod yma, roedd yn rhaid treulio wythnos mewn ysbyty arall a chefais fynd i Ysbyty Glan Clwyd gyda chyfaill i mi. Yno gwelais un o'r pethau tristaf a welais yn fy mywyd. Amser cinio dydd Iau ydoedd a chriw ohonom yn gwylio criced ar y teledu. Yn sydyn daeth galwad frys yn dweud bod angen pawb yn yr Adran Ddamweiniau. Roedd bachgen dwy oed a'i chwaer dair oed wedi dod i mewn gyda niwed difrifol wedi eu gwneud â chyllell i'r gwddf a'r bol. Ar ôl amser cynhyrfus yn ceisio achub y ferch, bu farw am ei bod wedi colli gormod o waed. Yn y cyfamser, roedd y llawfeddygon wedi mynd â'i brawd i'r theatr ac wedi cyflawni llawdriniaeth frys.

Fesul tipyn, cawsom wybod y cefndir i'r digwyddiad. Nid oedd llawer o gariad rhwng rhieni'r plant ac roedd y briodas yn methu. Ar ben hyn, roedd y fam am adael ei gŵr ac am fynd â'r plant hefo hi. Roedd hyn yn ormod i'r tad: ceisiodd ladd y plant ac yna cymerodd dabledi i geisio diweddu ei fywyd. Cafwyd hyd i'r tri yn fyw ac fe'u rhuthrwyd i'r ysbyty. Rai dyddiau yn ddiweddarach, bu farw'r bachgen hefyd. Fe fu'r tad fyw i wynebu cyhuddiadau.

Mae anffyddlondeb o fewn priodas yn fy atgoffa o ddigwyddiad arall a welais mewn Clinig Arbennig, – sef gair llednais am glinig trin afiechydon gwenerol (V.D.) I lawr yn nociau Lerpwl yn y Seamen's Dispensary y cynhelir un o'r rhain, am resymau gweddol amlwg. Nid morwyr oedd y cleifion i gyd ac un tro daeth dyn busnes i mewn i gael canlyniadau ei arbrofion. Roedd wedi cael haint ar ôl bod ar drip busnes ar y cyfandir ac roedd angen triniaeth arno. Wrth gwrs, roedd angen trin ei wraig hefyd gan ei fod yn siŵr o fod wedi trosglwyddo'r haint iddi hi. Ond ni allai wynebu ei wraig i gyfaddef hyn a thorrodd i lawr o'n blaenau. Ar ôl dod ato'i hun rywfaint, gofynnodd a oedd hi'n bosib cael tabledi gwrthfiotig iddo gael eu rhoi yn nhe ei wraig heb yn wybod iddi!

Er bod nifer helaeth o'r myfyrwyr yn mynd yn feddygon teulu, dim ond pythefnos a dreuliwyd yn astudio ymarfer cyffredinol yn ystod y pum mlynedd. Bûm yn ffodus o gael fy anfon i Gaer at Dr Allan Pullin. Hen lanc yn ei ddeugeiniau ydoedd ac un clên iawn hefyd. Amserlen ddigon hamddenol oedd gen i, a rhwng dau yn y prynhawn hyd at amser mynd i'r feddygfa am bedwar roedd digon o amser i fynd am dro o gwmpas y ddinas.

Arferwn fynd gyda Dr Pullin i dai rhai o'r cleifion yn y bore. Cofiaf fynd i dŷ hen ferch 70 mlwydd oed un bore gan fod nyrs yr ardal wedi gofyn i Dr Pullin fynd i'w gweld. Roedd ei dwy goes wedi eu torri i ffwrdd bum mlynedd ynghynt oherwydd diffyg cylchrediad y gwaed – y gwythiennau wedi caledu oherwydd y clefyd siwgr.

Mewn hen dŷ mawr digon blêr yr oedd yn byw a hwnnw'n llawn dop o hen ddodrefn. Er hynny, deallais ei bod yn eithaf cefnog ac yn un o gymeriadau'r gymuned. Yn ei dyddiau ieuanc yr oedd wedi bod yn gweithio mewn ffowndri ac yn dipyn o arbenigwraig ar jiwdo. Gyda hi yn y tŷ roedd cymydog a nifer o gathod. Gwyddai'n iawn bod yn rhaid iddi fod yn ofalus beth roedd hi'n ei fwyta oherwydd y clefyd siwgr, ond y peth cyntaf a wnaeth ar ôl i ni gyrraedd y tŷ oedd cynnig siocled inni allan o focs anferth yr oedd hi'n prysur fwyta ei gynnwys!

Er bod dwy goes osod ganddi, dim ond un ohonynt a ddefnyddiai fel arfer a honno fel polyn i'w throi ei hun o'i chadair i'r comôd. Ychydig cyn hynny roedd wedi disgyn ac wedi cael briw ar waelod y stwmp a ddefnyddiai i wneud y symudiad hwnnw ac felly roedd yn ei chael yn anodd i fynd ar y comôd. I wneud pethau'n waeth, roedd wedi cael y dolur rhydd *(diarrhoea)* ac angen y comôd yn aml iawn. Roedd y dolur rhydd arni'n ddrwg iawn gan achosi iddi wneud llanast a'r cymydog druan oedd yn gorfod ei lanhau.

Roedd yn amlwg y buasai cyfnod byr mewn ysbyty yn gwneud lles iddi hi a'r briw, a hefyd i'r cymydog. Nid felly y gwelai yr hen ferch y sefyllfa. Yn gyntaf, dad-leuodd i'r meddyg ei hanfon i'r ysbyty 'am gyfnod byr' y tro cynt ond bu yno am chwe wythnos ac wedi colli coes yn y fargen! Yn ail, roedd hi'n ystyried lles y cathod yn bwysicach na'i lles hi ei hun. Wel, llwyddodd Dr Pullin i'w pherswadio i fynd, ond cyfnod eithaf byr fu hwnnw. O fewn diwrnod iddi gyrraedd, cafodd drawiad ar y galon a marw yn ei chwsg.

Ysgrifennais adroddiad ar yr achos yma a chefais y wobr mewn Ymarfer Cyffredinol gan y Brifysgol yn 1981. Cynhaliwyd cyfarfod gwobrwyo blynyddol, a chafodd fy rhieni wahoddiad i ddod yno. Cyn y cyfarfod, euthum â nhw o gwmpas yr ysgol feddygol gan ddangos yr amgueddfa batholegol iddynt lle'r oedd amryw ddarnau clwyfedig o gyrff wedi eu piclo mewn potiau gwydr!

Wrth gerdded o gwmpas yr ysgol gwelsom greadur a golwg ddigon rhyfedd arno yn cerdded tuag atom, dillad blêr a gwallt hir heb ei gribo yn chwifio yn y gwynt. Fel jôc, gofynnodd mam ai seiciatrydd oedd. Fel roedd yn digwydd bod, roedd hi'n berffaith iawn – darlithydd yn yr adran seiciatryddol ydoedd!

Gwn mai peth peryglus yw cyffredinoli, ond mae'n rhaid dweud fy mod wedi cyfarfod seiciatryddion digon rhyfedd yn ystod fy nghyfnod yn Lerpwl. Dyna hanes noson y Cinio Meddygol. Cinio blynyddol oedd hwn ac fel arfer byddai rhai cannoedd o fyfyrwyr a meddygon (dynion yn unig) yn eistedd i lawr i swpera a phawb y gwisgo gwisg ffurfiol.

Achlysuron digon cymdeithasol oedd y rhain ond roedd un meddyg canol oed wedi meddwi ac yn dechrau mynd yn fwy cymdeithasol na'r arfer. Ar y cychwyn ni chymerwyd llawer o sylw o'r dyn, ond fel yr âi'r noson yn ei blaen, roedd y meddyg yn dipyn o niwsans ac yn dechrau gwneud awgrymiadau anweddus i un o'r hogiau. Yn amlwg roedd yn wrywgydiwr.

Cynhaliwyd cyfarfod brys, a phenderfynwyd ar gynllun i ddatrys y broblem heb ormod o stŵr. Llenwyd gwydryn y meddyg a'i gadw'n eithaf llawn nes i'r cwrw gael ei effaith. Ar ôl tipyn, syrthiodd i gysgu mewn cadair ac yna galwyd am dacsi. Roedd yn rhaid ei gario yn anymwybodol i'r cerbyd ac ar ôl dod o hyd i'w waled, talwyd gyrrwr y tacsi gan orchymyn iddo fynd â fo adref i'r cyfeiriad oedd ar ei drwydded yrru. Ar y pryd, nid oedd neb yn siŵr iawn pwy ydoedd. Y tro nesaf y gwelais ef oedd mewn darlith seiciatryddol. Roedd yn rhoi darlith ar ymddygiad rhywiol anarferol.

Buan iawn y daeth y bedwaredd flwyddyn i ben. Gwyliau byr iawn oedd i'w cael cyn dechrau'r flwyddyn olaf. Roedd y rhan fwyaf o'r flwyddyn olaf hon yn cael ei threulio yn mynd dros y meysydd uchod unwaith eto mewn darpariaeth erbyn yr arholiadau terfynol.

Caniateid i fyfyrwyr yn y flwyddyn olaf weithio fel dirprwy feddygon mewn ysbytai am gyflog. Os oedd Meddyg Tŷ yn mynd ar ei wyliau, roedd angen rhywun i gymryd ei le – ond yn gyfreithiol nid oedd hawl gan y myfyrwyr i ragnodi cyffuriau. Fel arfer roedd yr ysgol feddygol yn ddigon hapus i'r myfyrwyr gymryd amser i ffwrdd i weithio fel hyn.

Roeddwn yn awyddus iawn i weithio fel dirprwy. Wrth gwrs roedd yn braf cael cyflog ond pwysicach fyth oedd y profiad ymarferol. Felly pan gefais alwad gan gyfaill oedd eisiau mynd ar ei wyliau am wythnos, achubais y cyfle i weithio am wythnos yn Ysbyty Clatterbridge lle cefais flasu am y tro cyntaf fywyd mewn ysbyty gyffredinol brysur.

Cyrhaeddais yr ysbyty ar y nos Sul a chefais noson gynnar ar ôl sgwrs yn y Mess gyda'r meddygon eraill. Drannoeth euthum am frecwast i'r Mess lle arferai'r meddygon gyfarfod bob bore. Yna euthum i'r ward i gyfarfod y Sister a'r ymgynghorydd. Aeth pethau'n eithaf esmwyth yr wythnos honno. Ar y nos Iau roeddwn ar alwad am y tro cyntaf, noson fy mhen–blwydd, fel roedd hi'n digwydd. Cefais noson ddistaw tan bedwar o'r gloch y bore pan gefais alwad i fynd i weld hen wraig wedi syrthio allan o'i gwely.

Gwnes nifer o swyddi fel dirprwy yn ystod y flwyddyn olaf a chredaf fod y profiad wedi bod o gymorth mawr imi wrth sefyll yr arholiadau terfynol a hefyd wrth ddarparu ar gyfer swydd fel Meddyg Tŷ. Mae'n wir dweud fy mod wedi dysgu pethau nad oeddent i'w cael allan o lyfr!

Rhif Chwech

Lle a adnabyddir fel Rhif Chwech fu'n gartref imi am bum mlynedd tra oeddwn yn byw yn Lerpwl, tair blynedd fel myfyriwr a dwy fel meddyg, ar ôl graddio. Rhif 6, Mossley Hill Drive oedd y cyfeiriad, ar ymyl Parc Sefton.

Adeiladwyd y tŷ ddiwedd y ganrif ddiwethaf, yn amlwg ar gyfer un o deuluoedd llewyrchus y ddinas yr adeg honno, yn dŷ mawr ar ei ben ei hun. Yn yr hen ddyddiau, roedd angen tŷ o'r maint yma oherwydd bod y teuluoedd mor fawr a hefyd roedd angen lle i'r gweision a'r morynion. Roedd tri llawr i'r tŷ. Ar y ddau lawr cyntaf roedd digon o le i un-ar-ddeg o fyfyrwyr meddygol gyd-fyw. Roedd hyn yn cynnwys tair ystafell ymolchi, dwy gegin ac un ystafell gyffredinol yn ogystal ag ystafell i bob myfyriwr. Ar y llawr uchaf, lle arferai'r gweision a'r morynion fyw, roedd fflat i bedwar meddyg.

O gwmpas y tŷ roedd gardd helaeth o tua hanner acer gyda bwthyn a hen dŷ coets enfawr ynddi. Trigolion y bwthyn oedd cyn-gogydd canol oed, ei wraig a'i ferch. Y rheswm ei fod yn gyn-gogydd yn hytrach na chogydd oedd ei fod yn or-hoff o'r botel. Ar ddiwrnodau braf yn yr haf byddai'n dueddol o eistedd mewn cadair o flaen y bwthyn â chyflenwad da o gwrw i'w helpu drwy'r dydd hyd at gyda'r nos. Fel y byddai'n nosi, rhoddai rywbeth cryfach yn y gwydryn. Er hynny, roedd yn gymeriad eithaf tawel ac yn amlwg roedd yn talu'r rhent neu ni fuasai'n cael byw yno, yn wahanol iawn i'r tenant blaenorol! Aethai hwnnw i Awstralia ar frys gan adael

45

dyledion mawr ar ei ôl. Roedd y ferch yn ei harddegau, ac yn ôl arfer merched o'r oed yma, tueddai i dreulio oriau o'i hamser yn siarad ar y ffôn gyda'i chariadon. Yn anffodus, nid oedd ffôn yn y bwthyn ac arferai ddefnyddio ein ffôn ni. Unwaith bu ar y ffôn am tua awr a'r cyfan a adawodd i dalu am hyn oedd pum ceiniog. Ar ôl hynny, bu'n rhaid iddi gerdded i'r ffôn gyhoeddus i wneud ei galwadau caru.

Canolfan y tŷ oedd yr ystafell gyffredinol, neu yr ystafell bwyllgor, fel y'i gelwid. Y rheswm am hyn oedd fod arwydd 'Ystafell Bwyllgor' wedi ei osod ar y drws. Nid oes dim sicrwydd o ble y daeth yr arwydd yma, ond nid yn gyfreithiol, mae'n debyg. Yn y gongl roedd bar yfed wedi cael ei osod, gyda cwrw chwerw, mwyn, lager, Guinness a seidr i gyd yn dod allan o gasgen. Gydag un-ar-ddeg o fechgyn sychedig a nifer o bartïon fe fyddai lori Bragdy O'Brien's yn dod draw gyda llwyth bob ryw fis. Roedd cyllideb rhedeg y bar oddeutu £2000 y flwyddyn yr adeg honno. Tystiai gyrwyr y lori gwrw fod mwy o gwrw yn mynd i Rif Chwech nag i nifer o glybiau yfed masnachol.

Y Brifysgol oedd biau'r tŷ ac ni chodai rent uchel: tua dwy bunt y pen bob wythnos. Gyda chost treth, trydan, nwy, llefrith, bara ac yn y blaen, £8 yr wythnos oedd y gost lawn. Os oedd y rhent yn cael ei dalu ar amser, roedd y Brifysgol yn hapus i adael i'r tŷ fod yn hollol hunanlywodraethol. Oherwydd hyn, roedd y tŷ wedi bod yn nwylo myfyrwyr meddygol er tua 1960, a thraddodiadau ynghlwm â'r lle wedi datblygu dros y blynyddoedd.

Ar ddiwedd pob blwyddyn roedd yn rhaid i'r myfyrwyr ar eu blwyddyn olaf symud allan, yn ôl un o reolau'r tŷ. Felly, roedd nifer o ystafelloedd yn dod yn wag. Cyhoeddid hyn mewn cyfarfod o Gymdeithas y

Myfyrwyr Meddygol a gwahoddid ceisiadau gan rai oedd â diddordeb mewn symud i fyw yno.

Fel arfer, roedd mwy o ymgeiswyr nag o ystafelloedd gwag. Felly roedd yn rhaid penderfynu pwy oedd i symud i mewn ac roedd y broses hon yn gyffelyb i ddewis Pab newydd. Byddai cyfarfod o holl aelodau'r tŷ yn cael ei gynnal yn yr ystafell bwyllgor gyda phob ymgeisydd yn cael ei drafod yn ei dro. Roedd yna reolau pendant wrth wneud y dewis – dim merched, dim dynion duon a dim gwrywgydwyr. Roedd yn fantais i ddyn beidio â thueddu i astudio'i fogail ei hun, ond yn hytrach i chwarae rygbi neu bêl-droed i'r ysgol feddygol. Ar ddiwedd y drafodaeth, cynhelid etholiad. Ond yn ogystal â hyn roedd gan bawb yr hawl i ddefnyddio gwaharddiad pe teimlai na allai fyw gydag un o'r ymgeiswyr. Roedd blynyddoedd o brofiad wedi dangos fod y ffordd hon o ddewis yn gweithio yn eithaf da.

Gyda gardd mor fawr, cymerais ddiddordeb mewn garddio tra oeddwn yn byw yno. Roedd gan un o'r meddygon oedd yn byw ar lawr uchaf y tŷ yr un diddordeb hefyd. Yn ogystal â hynny, roedd ganddo ddiddordeb mewn da byw. Ar un adeg prynodd ddwy gwningen ac yn fuan iawn roedd ganddo ddegau ohonynt. Y bwriad oedd eu gwerthu'n fasnachol, ond aeth y cynllun i'r gwellt am fod gormod o waith cadw arnynt. Dros gyfnod o amser ceisiodd gadw gwyddau, hwyaid a ieir gan feddwl eu bwyta a chynhyrchu wyau. I'r wal yr aeth y cynlluniau hyn hefyd am nad oedd ganddo galon i ladd ei gynnyrch ar gyfer y popty. Felly dim ond yr ieir oedd yn dodwy wyau oedd ar ôl. Mae'n rhaid ei fod yn meddwl fod yr ieir yn teimlo'n unig a phrynodd geiliog mawr hardd i'w cadw'n hapus. Yn anffodus, roedd wedi esgeuluso'r ffaith fod ceiliogod yn codi a chanu'n fore iawn.

Nid oedd trigolion Rhif Chwech yn dueddol o godi'n rhy fore. Felly nid oedd canu'r ceiliog ar doriad gwawr yn plesio ryw lawer. Tynnwyd sylw perchennog y ceiliog at y ffaith a'r hyn a wnaeth i geisio datrys y broblem oedd symud clwyd y ceiliog i fyny'n eithaf uchel er mwyn i'r ceiliog druan daro'i ben yn y to wrth sythu i ganu! Gweithiodd hyn am ychydig ddiwrnodau ond buan iawn y dysgodd beidio â chodi ei ben yn rhy uchel. Bu mwy o brotestiadau ond disgyn ar glustiau byddar a wnaethant. Diwedd y gân (i'r ceiliog) oedd slygsan .22 allan o wn awyr un o'r hogiau un bore . . .

Symudais i Rif Chwech ar ddiwrnod fy mhen-blwydd yn un ar hugain oed. Daeth fy rhieni i'm danfon yno am y tro cyntaf. Rŵan, doedd glendid ddim yn un o rinweddau'r tŷ a bu bron i Mam gael cathod bach o weld y lle! Edrychodd yn syn wrth weld y budreddi o gwmpas y neuadd a'r ystafell gyffredin. Nid oedd fy ystafell newydd i fawr gwell a bu wrthi'n glanhau am oriau cyn ei hystyried yn sâff i'w mab fyw ynddi. Roedd wedi ei syfrdanu gymaint fel y dywedodd nad oedd hi am ddod yno byth wedyn. Cadwodd ei gair nes daeth diwrnod graddio – y diwrnod hwnnw bu'n rhaid defnyddio'r tŷ i newid cyn y seremoni.

Ar ôl iddynt fynd adref euthum i'r ymarfer rygbi ym Mharc Sefton gyda'r nos. Yn Rhif Chwech yr oedd pawb yn cyfarfod a newid ymlaen llaw. Ar ôl yr ymarfer, cefais anrheg gan hogiau'r tŷ sef tancard piwter a'm henw wedi ei dorri arno. Nid oeddwn yn gwybod hynny, ond roedd yn arferiad yn y tŷ fod pawb yn cael anrheg o dancard ar eu pen-blwydd cyntaf yno.

Arferiad arall ar achlysur pen-blwydd fel hyn oedd fod pawb yn mynd allan i Greenbank, sef clwb y Brifysgol. Roedd hwn o fewn tafliad carreg i'r tŷ. Felly i ffwrdd â ni i ddathlu, hogiau'r tŷ a rhai o hogiau'r tîm rygbi.

Yn fuan ar ôl cyrraedd Greenbank gwelais y blwch llwch yn cael ei anfon o gwmpas gan yr hogiau, a'r rheini'n rhoi arian ynddo. Ond ofynnodd neb i mi. Yna aeth nifer o'r hogiau i brynu diod ac eglurwyd arferiad arall i mi. Ar ei ben-blwydd, roedd yn ofynnol yfed diod arbennig iawn a elwid y 'goleuadau traffig'. Roedd cynnwys y 'goleuadau traffig' mewn tri gwydryn peint. Un gwyrdd oedd y peint cyntaf gyda Creme de Menthe ynddo i roi lliw a chyflenwad go helaeth o fodca. Nid i'w sipian yr oedd y ddiod ond i'w hyfed ar ei thalcen. I'm hannog i wneud hyn fe ddechreuodd yr hogiau weiddi a churo eu dwylo ar y byrddau nes i mi ei orffen drwy ei hyfed ar ei thalcen. Er nad oeddwn yn hoffi Creme de Menthe, i lawr â fo. Y syniad y tu ôl i'r enw a'r lliw gwyrdd oedd i'm cael i 'gychwyn'. Fe wnaeth hynny yn sicr. O fewn munudau, dechreuais deimlo rhyw gynhesrwydd mawr yn codi o waelod fy nghoesau. Ar ôl seibiant o ryw hanner awr galwyd arnaf i yfed yr ail wydryn gyda'r ddiod lliw oren ynddo. Wisgi oedd y tanwydd yn hwn a'r bwriad oedd gwneud i mi 'arafu' ychydig. Unwaith eto cefais y cynhesrwydd mawr yn codi, ychydig yn uwch y tro hwn. Cefais seibiant arall cyn cael fy ngalw i yfed y peint olaf, sef yr un lliw coch. Blas had anis oedd ar hwn. Bwriad y ddiod goch oedd fy 'stopio'. Mi wnaeth hynny'n sicr ddigon. Yn lle cynhesrwydd mawr, cyfog a gododd y tro hwn ac nid af i fanylu mwy . . .

Ar ôl hyn roedd yna ddeg pen-blwydd arall i'w dathlu yn ystod y flwyddyn oedd i ddod. Mae un noson yn arbennig yn sefyll allan yn fy nghof. Pen-blwydd Tommy ydoedd. I ffwrdd i Greenbank â ni a dathlu yn y ffordd arferol. Yna aeth criw ohonom yn ôl i Rif

Chwech. Erbyn cyrraedd Rhif Chwech roedd Tommy yn llawn bywyd ac eisiau mynd i lawr i glwb y 'Cabin', ond nid oedd llawer o awydd mynd yno ar y gweddill ohonom. Serch hynny, roedd Tommy yn benderfynol ei fod am fynd ac wedi dechrau cynhyrfu erbyn hyn.

Penderfynwyd ei glymu â rhaff nes bod yr awydd wedi mynd heibio. Tra oedd rhywun yn chwilio am raff i'r pwrpas, roedd Tommy wedi cael gwynt o'r hyn oedd i ddigwydd. Heb unrhyw rybudd neidiodd allan drwy ffenestr yr ystafell bwyllgor – y gwydr a'r cyfan – a honno yn ffenestr tua saith troedfedd o uchder a thair o led. Ni chafodd Tommy unrhyw niwed o gwbl. Ar ôl ychydig funudau daeth yn ôl i mewn i'r ystafell. Yn amlwg nid oedd y profiad yma wedi lleihau ei awydd i fynd i'r 'Cabin'. Ystyriwyd ei fod wedi meddwi gormod fel ei fod yn peryglu ei hun, felly doedd dim amdani ond ei gario i'w ystafell wely ar y llawr cyntaf a'i gloi i mewn am y noson.

Ar ôl gwneud hynny, aethom i lawr y grisiau i'r ystafell bwyllgor i drafod y difrod i'r ffenestr. Cyn pen pum munud, clywsom sgrech a thwrw rhywbeth yn disgyn y tu allan yn yr ardd. Rhedodd pawb i weld. Dyna lle'r oedd Tommy ar ei hyd ar lawr yn cwyno ei fod wedi brifo'i ffêr. Yng nghanol ei boen cyffesodd Tommy beth oedd wedi digwydd. Roedd mor benderfynol o gael mynd i'r 'Cabin' fel y rhoddodd ei gôt amdano ac yna agor ffenestr ei ystafell wely ar y llawr cyntaf. Tu allan i'r ffenestr roedd coeden sycamorwydden go fain yn tyfu. Credai Tommy y gallai neidio oddi ar silff ei ffenestr i'r goeden a dringo i lawr. Yr unig gamgymeriad a wnaeth oedd methu'r goeden yn llwyr wrth neidio. Aethpwyd ag ef i Ysbyty Broadgreen ac ar ôl archwiliad pelydr-X darganfuwyd fod y ffêr wedi torri a bu'n rhaid iddo fod mewn plaster am wythnosau.

Soniais yn gynharach am gyfarfod croesawu Cymdeithas y Myfyrwyr Meddygol ar ddechrau pob blwyddyn academaidd. Roedd yn draddodiad fod bechgyn Rhif Chwech yn canu cân neu ddwy i ddiddori'r dorf yn ystod y cyfarfod hwn ac roedd angen ymarfer. Byddai'r rheini â dawn gerddorol yn y tŷ yn cyfansoddi caneuon a geiriau gwreiddiol i gerddoriaeth caneuon poblogaidd. Yna roedd yn rhaid i bawb ymarfer canu'r caneuon a dysgu'r symudiadau oherwydd caneuon actol oeddynt, fel arfer.

Ben bore oedd yr amser gorau i ymarfer. Byddai'n rhaid i bawb godi am saith ac ymarfer am ryw dri chwarter awr cyn cael brecwast. Ar ôl ymarfer, roedd yn ddyletswydd ar Was Bach y Tŷ (House Fag) i wneud te i bawb arall ac roedd tebot anferth gennym ar gyfer cynifer o bobl.

Arferiad arall yn y tŷ ddechrau blwyddyn oedd cynnal parti i groesawu'r myfyrwyr newydd. Er bod hynny'n hollol anghyfreithlon, roedd yn rhaid gwerthu diod dros y bar oherwydd byddai rhai cannoedd o fyfyrwyr yn dod draw. Tuag un-ar-ddeg o'r gloch y nos y byddai'r parti yn dechrau, ar ôl i'r tafarndai gau. Er mwyn cael adloniant, llogid disco i ddod i chwarae am y noson a phrin y byddai'r parti yn darfod cyn chwech neu saith y bore.

Roedd yn rhaid i bawb oedd yn byw yn Rhif Chwech gymryd eu tro i wneud dyletswyddau y tu ôl i'r bar neu ar y drws. Roedd dau neu dri ar y drws bob amser er mwyn rhwystro cymeriadau annymunol rhag dod i mewn. Gan nad oedd trwydded i werthu diod feddwol gennym, roedd hyn yn cynnwys yr heddlu. Roeddem wedi dyfeisio cynllun arbennig rhag ofn i'r heddlu gyrraedd yn annisgwyl. Unwaith, daeth heddwas a heddferch at y drws yn ystod parti. Un cipolwg arnynt, a dyna'r cynllun mewn grym – un o'r hogiau oedd ar y drws yn rhedeg drwy'r dyrfa at y bar a dweud wrth y rhai oedd yn tywallt y cwrw pwy oedd yno. Y cam nesaf? Cuddio'r blwch arian yn un o'r ystafelloedd. O hynny ymlaen roedd y ddiod i gyd am ddim. Tra byddai hyn yn mynd ymlaen, dyletswydd y rhai eraill ar y drws oedd ceisio siarad â'r heddlu a'u rhwystro rhag dod i mewn yn rhy sydyn. Poeni heb achos a wnaethom y noson honno. Rheswm yr heddlu dros ddod draw oedd fod yr heddferch eisiau mynd i'r lle chwech. Daeth y ddau i mewn a chael cynnig rhywbeth i'w yfed. Arhosodd y ddau am tuag awr cyn mynd yn ôl i weithio!

Fwy nac unwaith bu'r heddlu draw yn y tŷ yn rhinwedd eu swydd ar ôl i ladron dorri i mewn. Digwyddai hynny'n weddol aml. Unwaith torrodd lladron i mewn ganol y prynhawn gan dorri'r drws cefn i lawr. Roedd un o'r bechgyn yn dal i fod yn ei wely a chysgodd drwy'r cyfan. O gwmpas y tŷ roedd nifer o arwyddion ffyrdd o ysgolion meddygol eraill wedi eu casglu ar nifer o deithiau rygbi a phêl-droed dros gyfnod o flynyddoedd. Roedd hyn yn destun siarad gan yr heddlu bob tro byddent yn dod draw ond ni fyddent yn dueddol o ofyn gormod o gwestiynau, yn enwedig ar ôl cael rhywbeth o'r bar.

Er bod un-ar-ddeg o fechgyn yn cyd-fyw â'i gilydd o dan yr unto, prin oedd y rheolau. Roedd gan bawb yr hawl i wneud hynny o waith tŷ a ddymunai. Nid oedd unrhyw drefn yn dweud pwy oedd i olchi llestri neu goginio ac wrth gwrs roedd rhai yn manteisio ar hynny, ond caent eu goddef gan y gweddill. Er hynny, roedd yna ambell i reol.

Weithiau byddem yn coginio ein bwyd ein hunain, ond yn aml iawn o'r siop sglodion y byddai'r bwyd yn dod ac yn cael ei fwyta wrth wylio'r teledu yn yr ystafell bwyllgor. Y duedd oedd i bawb adael y papurau sglodion a'r platiau budron ar y llawr. Weithiau byddai'n anodd gweld y carped o'u herwydd, ac i geisio perswadio pawb i roi'r gorau i'r arferiad, penderfynwyd bod y sawl oedd yn gyfrifol am adael plât budr neu bapur ar ôl yn gorfod talu am beint o gwrw i bawb arall yn y tŷ ar ei gyfrif yn y bar. Gan fod peint yn ddeugain ceiniog yr adeg honno, roedd yn gosb eithaf llym. Fe weithiodd hyn yn dda am ychydig fisoedd ond mynd yn ôl at yr hen drefn a wnaethom.

Peth arall yr oedd angen rheolaeth arno oedd talu'r biliau. Yr arferiad oedd talu rhent dymor ymlaen llaw ar ôl cael arian y grant. Roedd y rhan fwyaf yn eithaf prydlon, ond roedd un neu ddau'n defnyddio hyn fel math o fenthyca arian heb dalu llog. I setlo hynny, penderfynwyd codi llog o ddeg y cant yr wythnos arnynt ar ôl dyddiad penodedig talu'r rhent. Gweithiodd hyn yn dda.

Os oedd rhywbeth pwysig i'w drafod yn y tŷ cynhelid Cyfarfod Tŷ ar amser cyfleus i bawb ar ôl rhybudd o ddiwrnod neu ddau. Roedd presenoldeb pawb yn orfodol. Yr unig esgus oedd bod allan o'r ddinas neu orfod byw i mewn mewn ysbyty. Gwyddai pawb fod cosb yn disgwyl pawb oedd yn absennol.

Un tro, anghofiodd Trysorydd y Tŷ dalu'r bil ffôn ac fe dorrwyd ein ffôn i ffwrdd. Yn ogystal â gorfod talu am ei hailgysylltu, creodd hyn broblemau mawr i ni. Gan fod y timau rygbi a phêl-droed yn cael eu trefnu oddi yno aeth pethau'n draed moch gyda chwaraeon. Cynhaliwyd Cyfarfod Tŷ arbennig a phenderfynwyd cynnal Treial Tŷ gan gyhuddo Trysorydd y Tŷ o esgeulustod mawr. Etholwyd Erlynydd Tŷ i ddangos maint y drosedd ac er mwyn sicrhau chwarae teg etholwyd Amddiffynnydd Tŷ hefyd. Gweddill y Tŷ oedd y rheithgor. Gan fod y drosedd wedi creu anghyfleustra mawr i bawb, fe farnwyd y Trysorydd yn euog ac ystyrid y drosedd yn ddigon drwg i haeddu'r gosb eithaf. Y gosb hon oedd clymu rhaff o gwmpas ei fferau a'i hongian â'i ben i lawr fel bod rhan uchaf ei gefn yn unig yn cyffwrdd y llawr. Torrai'r rhaff i mewn i groen ei goesau yn eithaf poenus. Roedd yn gosb effeithiol iawn ac nid anghofiodd dalu'r biliau ar ôl hynny!

Byddai hanner dwsin ohonom yn coginio cinio dydd Sul yn ein tro. Mae celloedd ysglyfaethus a elwir yn 'macrophages' yn y corff ac ystyr y gair yn llythrennol yw 'bwytwr mawr'. Yr enw a roddasom ar arfer y ciniawa dydd Sul oedd 'Clwb y Macrophages'. Weithiau byddai wyth i ddeg ohonom (gan gynnwys gwesteion) yn bwyta, a phe byddai'r tywydd yn caniatáu digwyddai hynny allan yn yr ardd.

Roedd yn draddodiad fod yna Was Bach yn y tŷ (House Fag). Un o'r bechgyn ieuengaf oedd newydd symud i mewn oedd hwn, fel arfer. Nid oedd gan unrhyw unigolyn yr hawl i orfodi'r Gwas bach i wneud unrhyw beth, ond os oedd holl aelodau'r tŷ yn ewyllysio rhywbeth, druan o'r Gwas os na fyddai'n ufuddhau. Un noson, roedd y rhan fwyaf o'r hogiau yn y tŷ yn gwylio'r teledu yn hwyr y nos. Teimlai rhywun yn llwglyd a blysiai sglodion. Gan nad oedd neb eisiau mentro allan o'r tŷ, cafodd rhywun y syniad o anfon y Gwas Bach allan. Cytunwyd ei fod yn syniad da, ond yn anffodus roedd y Gwas Bach wedi mynd i'w wely. Roedd hi'n noson fawr, yn wyntog a glawog a'r siop sglodion tatws tua milltir i ffwrdd, ond bu'n rhaid i'r Gwas Bach godi a mynd ar gefn beic arbennig a gedwid ar ei gyfer pan godai achlysuron fel hyn!

Y rheswm dros y fath ufudd-dod oedd y gwyddai'n iawn – pe gwrthodai y byddai'n cael ei gosbi drwy gael ei daflu i faddon oer neu gael shafio hanner ei fwstás. Os nad oedd mwstás ganddo, gallai golli un o'i aeliau. Pe bai'n ystyfnig iawn, cai'r gosb eithaf. Am flwyddyn yn unig y câi unrhyw un y swydd o fod yn Was Bach. Ar ôl hynny, byddai aelod newydd yn cael yr anrhydedd.

Efallai fy mod yn rhoi argraff fod gwaith academaidd yn cael ei esgeuluso yn y tŷ. Rhaid cofio mai hanesion dros gyfnod o flynyddoedd yw'r rhain ac roedd gweddill yr amser yn y tŷ yn eithaf arferol a'r rhan fwyaf o'r hogiau'n gweithio'n gyson. Wrth gwrs roedd eithriadau a thra oeddwn i yn byw yno, cafodd un o'r hogiau ei ddiarddel o'r Brifysgol am fethu yn ei arholiadau droeon a hynny ar ôl bod yn astudio meddygaeth am dair blynedd. Siomedig oedd o, wrth gwrs, ond fe gawsai ddigon o rybudd gan y Brifysgol. Bu o flaen y pwyllgor disgyblu amryw weithiau ond ni ddilynodd y cyngor a gafodd.

Bu un arall o'r hogiau o flaen y pwyllgor disgyblu am fethu yn ei arholiadau. Ei esgus oedd fod rygbi yn cymryd llawer iawn o'i amser. Chwarae teg iddo, roedd yn chwarae i dîm cyntaf un o glybiau gorau'r wlad. Y cyngor a gafodd gan y pwyllgor oedd yn gyntaf roi'r gorau i chwarae rygbi ac yn ail i adael Rhif Chwech am fod y lle yn ddylanwad drwg arno. Ni wnaeth yr un o'r rhain a bu'n llwyddiannus ar ôl sefyll yr arholiadau terfynol ddwy waith.

Wrth gwrs roedd yn rhaid gweithio'n galed ar adegau ond nid mynachdy oedd Rhif Chwech. Pe bai rhywun yn gweithio'n rhy galed ym marn yr hogiau byddai angen gwneud rhywbeth ynglŷn â'r peth. Ar un adeg roedd Cymro arall wedi penderfynu mynd i'w wely'n gynnar i ddarllen. Yn anffodus roedd carfan ohonom yn mynd i'r 'Cabin' a'r gred oedd y byddai hyn yn llesol i Gwil. Roedd yn gorwedd yn ei wely gyda phaned o goco a llyfr tua deg o'r gloch, a gwrthododd ein cynnig i fynd allan. Eglurwyd yn gynnil iddo nad cynnig ond gorchymyn oedd hwn er ei les ei hun, am ei fod wedi bod fel meudwy yn ddiweddar. Gwrthododd eto ac felly fe'i cariwyd allan yn ei ddillad nos a'i roi yng nghist y car. Ar ôl cyrraedd y 'Cabin' credaf iddo fwynhau ei hun y noson honno!

Dros y penwythnos agosaf o ran dyddiad i Noson Tân Gwyllt, byddai coelcerth a thân gwyllt yn Rhif Chwech ac arferai'r hogiau a fu'n byw yno yn y gorffennol ddod draw. Un flwyddyn dechreuodd fwrw glaw yn drwm ar ganol dathliadau'r tân gwyllt. Aeth pawb i mewn i'r tŷ i ymochel. Yna cafodd rhywun y syniad o danio'r tân gwyllt y tu mewn i'r tŷ rhag iddynt gael eu gwastraffu. Gan fod y neuadd mor fawr ac uchel taniwyd ambell i dân gwyllt bach diniwed i ddechrau. Yna aeth pethau allan o reolaeth pan daniwyd roced, a aeth yn syth tua'r to, troi a disgyn yn union i'r bocs lle cedwid gweddill y tân gwyllt. Aeth y cwbl i fyny ar unwaith. Wel am le! Roedd ffrwydriadau byddarol, fflamau a rocedi yn mynd i bobman yn hollol afreolus a'r unig beth i'w wneud oedd ymochel yn un o'r ystafelloedd eraill nes i'r cwbl ddarfod. Yn ffodus ni chafodd neb ei anafu ond roedd mwg trwchus drwy'r tŷ am oriau wedyn.

O dro i dro byddai hen aelodau o'r tŷ yn dod draw i weld yr hen le. Roedd myfyrwyr meddygol wedi bod yn byw yno ers chwarter canrif. Un noson tra oeddwn yn gweithio ar gyfer fy arholiadau terfynol, daeth un o'r bechgyn ataf a dweud bod rhyw gymeriad i lawr yn y bar wedi meddwi. Am mai fi oedd yr hynaf yn y tŷ erbyn hyn, roedd yn ddyletswydd arnaf i fynd i'w weld.

Gŵr canol oed ydoedd. Dywedodd mai llawfeddyg ymgynghorol ydoedd ac wedi bod mewn cyfarfod yn Lerpwl, a'i fod yn un o'r myfyrwyr meddygol cyntaf i fyw yn Rhif Chwech. Er ei fod wedi cael digon o ddiod yn barod, cafodd beint arall yn y bar a golwg o gwmpas y tŷ. Wrth fynd i fyny'r grisiau fe ddisgynnodd ar ei hyd ar lawr. Ar ôl cael tri pheint a sgwrs hiraethus, penderfynodd fynd adref. Roedd angen cymorth arno i fynd i mewn i'w fodur ac roedd ganddo ryw ddeugain milltir i fynd adref, ond gwrthododd lety am y noson. Dywedodd ei enw wrthym. Nid oedd hwnnw'n golygu dim i ni, ond ar ôl holi, deallais ei fod yn llawfeddyg adnabyddus iawn yn ei faes.

O dro i dro yn ystod y gaeaf, byddai peipen ddŵr yn rhoi a chreu llanast. Un nos Wener yn Ionawr aeth pawb allan gyda'i gilydd am y noson, heblaw am ddau o'r hogiau oedd yn gweithio ar gyfer arholiad. Cymro o Fethel, Caernarfon oedd un, sef Phil Morgan, a'i gyfaill Gwyddelig, Nigel Holland, oedd y llall. Daethom adref tua hanner awr wedi naw a darganfod fod neuadd y tŷ o dan fodfeddi o ddŵr. Yn amlwg roedd peipen ddŵr wedi rhwygo yn rhywle yn y nenfwd. Roeddem wedi synnu braidd na fuasai Phil neu Nigel wedi troi'r cyflenwad dŵr i ffwrdd i leihau'r difrod. O'u holi, ateb y ddau oedd eu bod yn meddwl ei bod yn bwrw braidd yn drwm y tu allan!

Roedd yn dipyn o arferiad mynd am baned o de i ystafell Nigel er mwyn cael saib ar ganol astudio ar adegau adolygu. Un rheswm oedd ei fod yn hoff iawn o fisgedi siocled ac yn fodlon eu rhannu. Un noson fe'i perswadiwyd i ysgrifennu siec am filiwn o bunnau i mi. Er mwyn gweld beth fuasai ymateb ein banciau, talais y siec i mewn i'm cownt banc mewn cangen yn Lerpwl. Edrychodd y ferch yn syn arnaf wrth ei thalu i mewn, ond ni ddywedodd ddim. Cefais lythyr cwta gan reolwr fy manc yng Nghaernarfon yn gofyn i mi beidio â gwastraffu amser o hyn ymlaen. Bu'n rhaid i Nigel druan fynd i lawr i'w fanc ef i ymddiheuro'n bersonol cyn iddynt roi llyfr sieciau newydd iddo!

Yn anffodus, gwerthwyd y tŷ i gwmni oedd yn troi tai fel hyn yn fflatiau. Bu cryn dipyn o ddadlau yn Senedd y Brifysgol ynglŷn â'r penderfyniad. Safodd un athro i fyny a dweud na ddylid gwerthu'r lle gan gydnabod y cyfraniad yr oedd y tŷ wedi ei wneud i fywyd yr ysgol feddygol. Serch hynny, fe'i gwerthwyd, a gorfodwyd y myfyrwyr meddygol i symud allan oddi yno yn ystod haf 1988.

Nid oedd yn bosib gadael i'r fath beth ddigwydd heb gynnal cinio, felly yng ngwanwyn 1988 cynhaliwyd cinio mewn gwesty yr ochr arall i Barc Sefton, gyferbyn â'r tŷ. Gwahoddwyd pob meddyg oedd wedi bod yn byw yno er y dechrau, tua chant ohonynt. Daeth chwe deg i'r cinio, nifer ohonynt yn adnabyddus yn eu meysydd.

Bu gwledda mawr y noson honno. Ar ôl bwyta, eisteddodd pawb i lawr a phob un yn ei dro yn gorfod adrodd stori ddoniol am rywbeth oedd wedi digwydd iddo tra fu'n byw yn y tŷ. Aeth hyn ymlaen am rai oriau nes iddi ddod yn amser i ni fynd yn ôl i'r bar yn Rhif Chwech. Er nad oedd y tŷ fwy na hanner milltir i ffwrdd, roedd bws arbennig wedi ei threfnu ar gyfer hyn. Yn ystod y daith fer, fe lwyddodd y bws i golli'r tacograff. Rhyw ugain munud ar ôl i ni gyrraedd y tŷ daeth gyrrwr y bws yn ôl yn eithaf blin a gofyn amdano. Nid myfyriwr oedd wedi ei ddwyn, ond meddyg cyfrifol.

Trist iawn oeddem y noson honno ond roedd

cynlluniau wedi eu gwneud i gynnal y cinio bob pum mlynedd ar ôl hynny. Mae nifer o atgofion gennyf am y tŷ a'r cymeriadau ynghlwm â'r lle ac rwyf yn falch iawn fy mod wedi cael y profiad o fyw yno.

Y Seremoni Dderbyn

Fel amryw o sefydliadau cyffelyb, roedd seremoni
dderbyn ynghlwm â Rhif Chwech ac roedd yn rhaid i
bawb fynd trwyddi unwaith tra oedd yn byw yno. Nid
un seremoni arbennig oedd hon – roedd pob un yn
wahanol. Byddai'r seremonïau hyn yn cael eu cynllunio
rai wythnosau ymlaen llaw, yn enwedig pe bai noson go
arbennig fel noson y parti Tân Gwyllt yn agosáu, ond
ar adegau eraill roeddent yn digwydd ar y pryd. Y
bwriad oedd cadw'r peth yn gyfrinach rhag y sawl oedd
am gael ei dderbyn. Dim ond y rhai oedd wedi bod
drwy'r seremoni eu hunain oedd yn cael gwybod y
manylion.

Rhaid dweud fod y seremonïau hyn wedi cael eu
llareiddio yn ystod y blynyddoedd olaf, oherwydd bu
bron i un seremoni a gynhaliwyd cyn i mi symud i mewn
i'r tŷ fod yn achos i un o'r hogiau gael ei ladd.

Beth ddigwyddodd oedd hyn. Roedd yr hogiau
wrthi'n yfed yn yr ystafell bwyllgor yn oriau mân y bore.
Yn sydyn, cafodd rhywun y syniad o gynnal seremoni
dderbyn ac fe ddewiswyd un o'r hogiau. Rhwymwyd y
truan â rhaff tra oedd yr hogiau'n penderfynu ar union
ffurf y seremoni. Ar ôl ychydig o grafu pen
penderfynwyd adeiladu rafft allan o gasgenni cwrw
gwag. Yna rhwymwyd y dioddefwr ar y rafft gyda'r
bwriad o'i arnofio ar y llyn ym Mharc Sefton. Ar ôl ei
rwymo, roedd yn amlwg fod y rafft a'r dioddefwr yn
pwyso gormod i'r hogiau ei gludo. Problem fach iawn
oedd hon ac fe lusgwyd y rafft gyda'r dioddefwr a dau

o'r hogiau eraill yn cadw cwmpeini iddo y tu ôl i fodur un o'r hogiau. Roedd yn rhaid gyrru ar hyd Mossley Hill Drive am ryw hanner milltir cyn cyrraedd y llyn yng nghanol Parc Sefton. Ar ôl ychydig o chwysu, llwyddwyd i wthio'r rafft i'r llyn. Roedd hyn yn hwyl fawr i'r hogiau a bu chwerthin mawr nes iddynt sylweddoli fod yr heddlu'n eu gwylio. Yr hyn a welsai'r heddlu oedd modur yn gyrru o gwmpas y Parc yn tynnu rhywbeth y tu ôl iddo gyda chynffon hir o wreichion a gynhyrchid gan y casgenni cwrw haearn wrth grafu'r ffordd. Yna gwelsant rafft yn cael ei gwthio allan i'r llyn fel coelcerth angladdol Viking marw. Rhaid dweud nad oedd yr heddlu'n rhy hapus â'r sefyllfa. Eu blaenoriaeth oedd cael y rafft a'r dioddefwr yn ôl ar dir sych. Wrth gwrs, doedd neb wedi meddwl rhwymo rhaff yn sownd wrthi ac yr oedd yn awr lathenni o'r lan ac yn aflonyddu ar yr hwyaid yng nghanol y llyn. Ar orchymyn yr heddlu, bu'n rhaid i rai o'r hogiau fynd ar ei hôl a gwlychu at eu canol.

Erbyn hyn roedd yr heddlu wedi deall beth oedd yn mynd ymlaen a bod y troseddwyr yn fyfyrwyr meddygol. Yn ffodus i bawb, gan nad oedd eiddo na pherson wedi cael niwed, edrychodd yr heddlu ar y digwyddiad fel pranc gwirion. Ar ôl darlith a phwyntio allan ffolineb y weithred aeth pawb adref wedi sobri. Penderfynwyd cynnal seremonïau mwy gwâr yn y dyfodol.

Un Sadwrn, euthum i Twickenham gyda'r hogiau i weld gêm rygbi ryngwladol. Roedd yn rhaid i ni gael trên yn ôl i Lerpwl yn eithaf cynnar oherwydd fod yna barti yn y tŷ y noson honno. Roedd hi tua hanner awr wedi un-ar-ddeg arnom yn cyrraedd Rhif Chwech ac erbyn hyn roedd yn amlwg fod y parti wedi cychwyn. Yr oedd pawb yn y neuadd a Tommy yn hongian yn noethlymun â'i ben i lawr wrth raff o ben y balconi. Yng nghanol gweiddi a chwerthin mawr, roedd un o'r hogiau wrthi'n ei beintio â phaent emulsion pinc.

Yn ystod yr wythnosau cynt, buasai Tommy yn addurno'i ystafell â phaent pinc. Ar ôl gorffen hynny, bu'n mynd o gwmpas y tŷ yn peintio sloganau fel 'The Pink Panther was here' a 'The Pink Panther strikes again'. Gan fod rhywfaint o'r paent ar ôl, fe'i defnyddiwyd ar Tommy y noson honno.

Nid dyna oedd diwedd y seremoni, ychwaith. Fe gariwyd Tommy allan o'r tŷ a'i glymu wrth goeden ar ochr y ffordd fawr. I daflu rhywfaint o oleuni arno, defnyddiwyd goleuadau dau fodur. Yn wir, golygfa ryfedd iawn a gafodd amryw wrth fynd adref heibio Rhif Chwech y noson honno, a gwelais fwy nag un modur yn troi a dod yn ôl yr eildro i sicrhau fod yr olygfa a welent yn gywir.

Ar ôl goroesi'r profiad syfrdanol hwn aeth Tommy i Gaer drannoeth i ddechrau cyfnod o obstetreg. Cyn iddo fynd, fe recordiodd ar dâp y gân 'Pen-blwydd Hapus' i un o'r hogiau, oherwydd na fyddai yno i ddathlu. Ar ôl noson o ddathlu'r pen-blwydd yn Greenbank, aethom yn ôl i Rif Chwech. Roedd yna sôn am gynnal seremoni dderbyn y noson honno, a gwahoddwyd amryw gyfeillion yn ôl i'r tŷ. Wrth gwrs, dim ond y rhai oedd wedi bod drwy seremoni dderbyn oedd yn gwybod y manylion i gyd a phwy oedd y dioddefwr i fod.

Ar ôl cyrraedd Rhif Chwech, chwaraewyd y recordiad gan Tommy a phawb yn canu 'Pen-blwydd Hapus'. Ar ddiwedd y recordiad, dyna Tommy yn cyhoeddi pwy oedd i gael ei dderbyn y noson honno. Ar yr arwydd yma, neidiodd pawb ar ben y dioddefwr a'i ddadwisgo. Yna fe'i gwisgwyd mewn gwisg dra gwahanol sef camisol sidan gwyrdd oedd wedi cael ei benthyg gan gariad un o'r hogiau. Roedd mwstás ganddo, felly fe shafiwyd hanner hwnnw i ffwrdd cyn rhoi colur merch ar ei wyneb.

Y bwriad wedyn oedd ei gludo mewn modur a'i ollwng yng nghanol Toxteth, a gwneud iddo redeg yn ôl i'r tŷ, pellter o ryw ddwy filltir. Nid oedd y dioddefwr yn hoffi'r syniad yma, ac fe gymerodd arno fod yn anymwybodol ar ôl yfed gormod. Mae'n rhaid cyfaddef ei fod yn argyhoeddiadol iawn. Doedd neb yn fodlon cymryd y cyfrifoldeb o'i ollwng yn Toxteth ac yntau yn y fath stad!

Bu cais arall hefyd i gynnal seremoni yn aflwyddiannus. Heb yn wybod i mi, roedd cynllun yn bodoli a minnau fel dioddefwr. Y noson a ddewiswyd oedd noson hiraf y flwyddyn oherwydd y cysylltiad â derwyddon. Am fy mod i'n Gymro, y bwriad oedd cael rhyw fath o aberth.

Trefnwyd pethau fel bod hyn yn digwydd fel difyrrwch ar ôl cinio'r clwb rygbi yn Greenbank y noson honno. Roedd hi'n eithaf hwyr ar y cinio'n gorffen, ond ar y ffordd adref aeth rhai ohonom heibio i un o neuaddau'r Brifysgol lle'r oedd dawns yn cael ei chynnal. Llwyddodd criw ohonom i fynd i mewn gan gymryd arnom mai ni oedd rhai o'r band jazz oedd yn chwarae yno. Roedd hyn yn ddigon tebygol oherwydd ein bod yn gwisgo ein gwisg ffurfiol.

Roedd y cynllun i'm derbyn y noson honno wedi bod yn gyfrinach mor dda fel nad oedd yr un o'r hogiau oedd gyda mi yn gwybod am y peth. Cawsom hwyl iawn yn y ddawns ac yr oedd yn oriau mân y bore arnom yn cychwyn yn ôl adref. Drannoeth, deallais fod yr hogiau wedi bod yn eistedd i fyny yn fy nisgwyl yn ôl hyd oriau mân y bore. Pan ddaeth yn bedwar o'r gloch, roedd pawb wedi blino ac i'w gwlâu â nhw! Roedd yn rhaid disgwyl tro arall i'm derbyn i'r tŷ.

Ni fu'n rhaid disgwyl yn hir. Fe ddaeth noson parti'r Tân Gwyllt. Roedd yn draddodiad fod seremoni dderbyn yn cael ei chynnal ar y noson hon gan fod nifer o westeion yn arfer bod yn bresennol. Byddai rhwng hanner cant a chant o ffrindiau neu hen aelodau'r tŷ yno.

I fwydo'r holl bobl prynwyd oen cyfan a dechreuwyd ei rostio o flaen y tân yn y neuadd. Tu ôl i'r lle tân roedd ystafell un o'r bechgyn. Cafodd hwnnw fraw pan welodd fwg mawr yn dod o dan y llawr ger y mur wrth gefn y lle tân. Roedd cymaint o fwg fel y bu'n rhaid galw'r frigad dân i ddelio â'r peth. Gorffennwyd rhostio'r oen y tu allan ar dân agored.

Fel yr âi'r noson ymlaen, dechreuodd pobl ddyfalu pwy oedd i fynd drwy'r seremoni dderbyn. Roedd yn amlwg fod rhywbeth wedi ei drefnu oherwydd fod pedwar postyn pren wedi ei osod yn y ddaear a rhaff yn perthyn i bob un. Sylweddolais mai fy nhro i ydoedd pan gefais fy amgylchynu gan yr hogiau. Nid oedd yn bosib dianc, a chefais fy nghlymu yn sownd wrth y pyst.

Bythefnos yn gynt, roedd un o'r ieir y soniais amdanynt wedi marw. Yn hytrach na'i chladdu, fe gadwyd y corff erbyn y seremoni. Agorwyd ei bol a thywallt y perfedd drewllyd am fy mhen. Yna fe dywalltwyd llefrith am fy mhen. Nid llefrith cyffredin oedd o. Gydag un-ar-ddeg ohonom yn y tŷ, arferem gael galwyn o lefrith bob dydd. Yn aml iawn roedd peint neu ddau heb eu defnyddio a châi'r rhain eu cadw am fisoedd ar gyfer achlysuron fel hyn, a'r hyn a ddaeth allan o'r poteli oedd llefrith wedi cawsio. Yr arferiad ar ôl i'r seremoni ddod i ben oedd i bawb ganu anthem arbennig y tŷ. Ar ôl hyn, ystyrid fi yn aelod llawn o'r tŷ ac roeddwn â'r hawl i gael gwybod am fanylion llawn pob seremoni dderbyn oedd i'w chynnal. Roedd yn rhaid disgwyl tan yr haf am yr un nesaf, ond fe benderfynwyd derbyn dau yn hytrach nag un y tro hwnnw. Y noson honno aeth bechgyn y tŷ allan am bryd o fwyd gyda'r bechgyn oedd wedi eu dewis i symud i mewn i Rif Chwech y tymor dilynol. Aethom i lawr i dŷ bwyta Sineaidd yng nghanol Lerpwl ac ar ôl gwledda, dychwelasom i Rif Chwech. Cafodd un o'r hogiau driniaeth debyg i mi, sef hen lefrith, wyau, hufen salad a hen oel beic modur am ei ben. Roedd yr aroglau mor ofnadwy fel y cododd gyfog mawr arno. Tynged ychydig fwy poenus a gafodd yr ail un. Rhwymwyd rhaff am ei goesau a'i lusgo'n noeth drwy'r dail poethion oedd yn yr ardd.

Yn fy mlwyddyn olaf yn Rhif Chwech, rhoddwyd y cyfrifoldeb arnaf fi i drefnu'r seremonïau hyn. Gelwais gyfarfod a dweud fod yn rhaid i bob aelod nad oedd wedi bod drwy'r seremoni ysgrifennu traethawd. Y testun oedd 'Y dull gorau o gynnal seremoni dderbyn'.

Roedd pump ymgeisydd. Roed y traethodau i fod yn hollol gyfrinachol ac yn cael eu barnu gan aelodau'r tŷ oedd wedi bod drwy'r seremoni. Nid oedd gwobr i'r enillydd am y syniad gorau ond yr oedd cosb am y syniad gwaelaf. Yr hyn oedd i ddigwydd oedd fod yr ymgeisydd gwaelaf yn gorfod dioddef seremoni pan ddefnyddid syniad yr ymgeisydd gorau.

Mae'n ddrwg gennyf ddweud mai o ogledd Cymru y daeth y syniad gwaethaf. A hyn oedd ei gosb. Yn lle llefrith, arllwyswyd llond pwced o gynrhon byw am ei ben ac yntau'n rhwymedig ac yn noeth ar wastad ei gefn yn yr ardd. Yna daethpwyd â roced tân gwyllt anferth tua phedair troedfedd o uchder allan i'r ardd. Cyhoeddwyd mewn araith fod y roced yma wedi ei gwarantu i fynd i fyny i uchder o drigain troedfedd. Gyda'r seremoni briodol, daethpwyd â lein bysgota neilon gref allan a rhwymo un pen iddi yn y roced. Yna fe rwymwyd y pen arall o gwmpas un o organau tra phwysig corff y Cymro crynedig oedd ar lawr. Cyhoeddwyd mai dim ond deugain troedfedd oedd hyd y lein neilon.

Gan anwybyddu'r gweiddi am drugaredd, taniwyd y roced. Heb yn wybod iddo, roedd y lein wedi ei thorri. Rhoddwyd plwc i'r darn oedd wedi ei rhwymo am ei berson fel yr âi'r roced i fyny. Fe gododd hyn arswyd mawr arno a soniodd ei fod yn barod am newid parhaol yng nghywair ei lais . . .

Cynhaliwyd nifer eraill o seremonïau tebyg, ond rwy'n siŵr eich bod wedi cael syniad go dda erbyn hyn beth oedd yn mynd ymlaen. Gwyddai pawb oedd yn symud i'r tŷ y byddai'n rhaid iddynt fynd drwy rywbeth tebyg. Os nad oeddynt yn fodlon, nid oedd yn rhaid iddynt fyw yno.

Cymdeithas y Myfyrwyr Meddygol

Disgrifiais eisoes gyfarfod cyntaf Cymdeithas y Myfyr-wyr Meddygol. Byddai'r cyfarfodydd hyn yn cael eu cynnal yn wythnosol yn ystod y tymor academaidd. Adeiladwyd y theatr lle cynhelid y rhain yn oes Victoria, a gwnaed y seddau allan o goed a'r rheini'n codi i fyny yn hanner cylch serth o gwmpas llwyfan bychan. Roedd awyrgylch arbennig i'r lle.

Byddai'r myfyrwyr yn cyfarfod am hanner awr wedi pedwar am baned o de a sgwrs. Erbyn chwarter wedi pump byddai pawb wedi eistedd. Y flwyddyn olaf yn unig oedd yn cael eistedd yn y ddwy reng flaen tra oedd gan hogiau Rhif Chwech eu mainc eu hunain. Fel arfer, byddai rhwng dau a thri chant o fyfyrwyr yn bresennol.

I arwyddo fod y cyfarfod ar fin dechrau byddai corn yn cael ei ganu o'r tu allan i'r theatr. Y traddodiad wedyn oedd i bawb guro'u dwylo ar y meinciau pren fel y byddai'r orymdaith yn dod i mewn. Y brysgyllwr *(mace-bearer)* fyddai'n dod i mewn y tu ôl i'r canwr corn, yn cario nifer o hetiau ac arwyddion y Gymdeithas. Yna deuai'r Llywydd yn ei siwt orau, yn gwisgo gown a'r fedal oedd yn arwydd o'i swydd am ei wddf, yna y siaradwr gwadd. Ar ei ôl ef byddai'r ysgrifenyddes a'r trysorydd yn cerdded. Gwisgai'r trysorydd flaser arbennig o liwiau'r ysgol feddygol a gown wedi ei wneud o groen teigar am ei gefn. Eisteddai'r garfan hon i lawr o flaen y gynulleidfa cyn cyflwyno'r siaradwr gwadd.

Y peth cyntaf ar yr agenda oedd i'r ysgrifenyddes

ddarllen cofnodion y cyfarfod diwethaf. Un o'r ang-
henion i fod yn ysgrifenyddes y Gymdeithas oedd
edrych yn ddeniadol. Tra byddai'n darllen y cofnodion,
roedd yn draddodiad i'r hogiau weiddi arni i ddangos ei
phais. Ar ôl munud neu ddau o ddarllen byddai'n
gwneud hynny. Nid oedd hynny'n digoni'r hogiau.
Roedd yn rhaid gweld garter am ei choes ac ar ôl mwy
o heclo dangosai ei garter arbennig. Ar ôl hyn, byddai'n
rhaid cywiro ambell i beth cyn i'r Llywydd arwyddo'r
cofnodion yn gywir.

Yna byddai'r Busnes Preifat yn dechrau. Dyma'r
amser i unrhyw un oedd wedi darparu sgets neu gân i
ddod ymlaen a pherfformio. Roedd amryw aelodau
talentog yn y Gymdeithas. Ond yr oedd un o reolau'r
gymdeithas yn dweud na allai neb sefyll i siarad heb
wisgo het o ryw fath. Yr unig rai nad oedd yn rhaid
iddynt wisgo het oedd y Llywydd, y trysorydd, yr
ysgrifenyddes, y siaradwr gwadd ac aelodau
anrhydeddus y Gymdeithas. Roedd amryw o wahanol
hetiau ar gael.

Rhwng yr ail a'r bedwaredd flwyddyn, cefais fy ethol
i dair swydd yn y Gymdeithas a gofynnid imi siarad yn
ystod y Busnes Preifat bron bob wythnos. Yn ystod yr ail
flwyddyn yr oeddwn yn Sanitary Inspector. Fy
nyletswydd o ddal y swydd hon oedd codi a dweud stori
ddigri. Weithiau yr oedd hi'n anodd cael hyd i un nad
oedd rhywun wedi ei chlywed o'r blaen. Yna yn y
drydedd flwyddyn cefais fy ethol yn 'Dditectif y Tŷ'. Fy
nyletswydd yn awr oedd ceisio cynnal safon foesol y
Gymdeithas. Pe clywn fod unrhyw aelod wedi bod yn
camfyhafio mewn unrhyw ffordd, yr oedd gen i'r hawl
a'r dyletswydd i sefyll yn y cyfarfod a chyhoeddi'r
camwedd.

Wrth gwrs, dim ond y pethau doniol y soniwn

amdanynt. Roedd yn rhaid bod yn ddiplomat hefyd os am gadw ffrindiau. Yr oedd yn ddigon hawdd cael hyd i straeon am bobl, gan fod y rhan fwyaf o'r aelodau yn barod iawn i achwyn ar eu ffrindiau os oedd stori go dda i'w dweud. Os na fyddai'r sawl oedd wedi troseddu yn bresennol yn y cyfarfod fe ohiriwn gyhoeddi'r hanes er mwyn cael yr effaith fwyaf. Tra byddwn yn siarad, gwisgwn helmed blismon. Mae'n amheus iawn o ble y daeth honno yn y lle cyntaf ond roedd yn ateb y pwrpas i'r dim . . .

Y swydd fwyaf cyfrifol a gefais oedd bod yn Ysgrifennydd Chwaraeon y Gymdeithas. Yn ôl traddodiad y Gymdeithas, fi fyddai'n siarad olaf yn ystod y Busnes Preifat cyn mynd ymlaen at y Busnes Cyhoeddus. Byddai'r Llywydd yn galw am guriad llaw arbennig ar y meinciau coed. Yna fe safwn ar fy nhraed i ddal het gron goch a gwyn i'w rhoi am fy mhen. Yna fe fyddai'r Llywydd yn taflu pêl rygbi ataf gyda'r bwriad o'i gwneud yn anodd i mi ei dal. Gwae fi os gollyngwn y bêl – byddai'r dyrfa'n gweiddi 'Gwarthus!' ac 'Ymddiswydda!'

Yn ogystal â rhoi gwybodaeth am ganlyniadau chwaraeon y Gymdeithas, roedd gwaith trefnu i'w wneud. Ar y Sul, roedd gêmau rygbi, pêl-droed, pêl-rwyd a hoci yng Nghynghrair y Brifysgol, gyda phob cyfadran yn codi timau. Felly roedd gwaith pwyllgora yn y Brifysgol yn ogystal â gwneud yn siŵr fod capteiniaid timau'r ysgol feddygol yn gwybod beth oedd yn mynd ymlaen.

Ar ben hyn, roedd yn rhaid trefnu dyddiau chwaraeon. Roedd gennym ein Diwrnod Chwaraeon ein hunain yn yr ysgol feddygol a bechgyn pob blwyddyn yn chwarae yn erbyn ei gilydd. Yna roedd diwrnod chwaraeon yn erbyn y deintyddion ac un arall yn erbyn y milfeddygon. Ar ddechrau'r flwyddyn newydd roedd gêm rygbi rhwng y merched a bechgyn y flwyddyn gyntaf ac fel arfer, roedd y gêm yma'n dirywio'n draed moch . . .

Cefais y cyfle i brofi chwaraeon newydd hefyd. Un o'r rhain oedd rhwyfo mewn cystadleuaeth. Fi oedd yn trefnu timau'r ysgol feddygol ar gyfer regata'r Brifysgol, un flwyddyn. Byddai hon yn cael ei chynnal ym Mharc Saffari Knowsley, a gwelid unrhyw grŵp o bedwar rhwyfwr a llywiwr yn cael cystadlu yn nosbarth y dechreuwyr. Penderfynodd pump ohonom ffurfio ein tîm ein hunain. Dim ond dau ohonom oedd wedi rhwyfo o'r blaen a hynny am eu bod wedi cael eu haddysg mewn ysgol breifat. Nid oeddwn wedi sylweddoli pa mor galed yw rhwyfo yn gystadleuol. Am wythnosau cyn y regata roedd yn rhaid mynd allan ar y dŵr i ymarfer ond ar ôl yr holl drafferth, colli a mynd allan o'r gystadleuaeth a wnaethom a hynny yn y rownd gyntaf!

Digwyddodd dau beth hanesyddol ar y 13eg o Fai, 1981. Y cyntaf oedd i'r Pab gael ei saethu. Yr ail oedd i mi chwarae yr unig gêm o golff yn fy mywyd a hynny fel capten tîm yr Ysgol Feddygol yn erbyn tîm o feddygon oedd ynghlwm â'r Ysgol Feddygol. Nid cynnig fy hun am y fraint yma wnes i, ond dyna oedd y traddodiad ynglŷn â bod yn Ysgrifennydd Chwaraeon!

Gan fod y Deon ac amryw o'r athrawon ac ymgynghorwyr yn chwarae ymhlith y meddygon, roedd yn rhaid i mi gael ychydig o ymarfer cyn y gystadleuaeth. Roedd Nigel Holland, un o fechgyn Rhif Chwech, yn chwaraewr golff da iawn a chefais ddwy awr o wersi ar Barc Sefton ganddo. Ar ôl hynny, roeddwn yn gallu taro'r bêl fel ei bod yn mynd fwy neu lai i'r cyfeiriad iawn.

Daeth y diwrnod mawr. Roedd pawb oedd yn cystadlu wedi cael caniatâd gan y Brifysgol i gael diwrnod o wyliau. Yn ffodus roedd yn ddiwrnod heulog braf ac i ffwrdd â ni i Glwb Golff Wallasey i ymarfer yn y bore, cyn y gystadleuaeth yn y prynhawn.

Chwarae mewn parau yr oeddem, ac roedd partner da iawn gennyf, a dyma ennill. Enillodd y myfyrwyr y gystadleuaeth i gyd! Dyna'r tro cyntaf i hynny ddigwydd yn hanes y gystadleuaeth hon, felly roeddwn yn teimlo'n falch iawn y noson honno yn y cinio wrth wneud araith a derbyn y tlws.

Yn ôl at y busnes cyhoeddus. Byddai'r siaradwyr yn amrywio'n fawr iawn. Ar adegau, meddygon fyddai'n siarad ar bynciau o ddiddordeb cyffredinol yn hytrach na phwnc meddygol. O'r darlithoedd yma, roedd y ddarlith flynyddol ar winoedd gan un o'r athrawon yn un o'r ffefrynnau. Yn ogystal â bod yn arbenigwr yn ei faes roedd hefyd yn gwybod cryn dipyn am win. I gyd-fynd â'r ddarlith byddai gwahanol winoedd i ni i'w hyfed er mwyn blasu'r hyn yr oedd yn sôn amdano. Credaf mai'r ddarlith fwyaf poblogaidd oedd yr un flynyddol gan batholegydd fforensig. Byddai'r ystafell yn orlawn bob tro. Fe fyddai'r ddarlith yn cynnwys nifer o sleidiau erchyll wedi eu tynnu gan yr heddlu o bobl wedi marw mewn amgylchiadau amheus. Byddai nifer yn llewygu yn ystod y ddarlith hon.

Roedd yr enwogion a ddaeth i siarad yn y cyfarfodydd yn cynnwys Bill Tidy y cartwnydd, David Alton yr Aelod Seneddol, Miriam Stoppard a Claire Rayner. Roedd rhai llai adnabyddus hefyd, fel un o'r rhai oedd yn bwrw allan gythreuliaid *(exorcist)* yn Lerpwl. Fel arfer, roedd y siaradwyr yn eithaf diddorol ond ambell waith ceid darlithoedd diflas iawn. Credaf mai'r un mwyaf diflas a glywais oedd Louis Bloom-Cooper Q.C., oedd yn ddyn mawr yn ei faes, wrth gwrs, ond yn amlwg heb ddeall ysbryd y Gymdeithas. Cawsom ddarlith sych iawn ganddo ac ni bu'r gynulleidfa'n hir yn dangos eu blinder trwy sgwrsio ymysg eu gilydd, darllen papurau, cysgu a gadael y neuadd fel y darllenai dudalen ar ôl tudalen. Roedd rhai eraill wedi cael amser go galed gan y myfyrwyr meddygol yn Lerpwl. Un o'r rhain oedd Bob Owen Croesor, a honnai ei fod yn perthyn i mi. Disgrifir yr achlysur yn *Bywyd Bob Owen* a gelwir y dorf yn 'g'nafon'.

Ar ôl siarad am ryw awr, fe fyddai'r cyfarfod yn terfynu o gwmpas chwarter wedi saith. Yna, arferai pawb, gan gynnwys y siaradwr gwadd, fynd i'r dafarn. Fel rhan o'r croeso a estynnid i'r siaradwr, byddai'r Llywydd, y trysorydd a'r ysgrifenyddes yn mynd â nhw allan am bryd o fwyd tra arhosai'r gweddill ohonom yn y dafarn.

Bob hyn a hyn, cynhelid cystadleuaeth dartiau a hefyd yfed y llathen o gwrw i'r hogiau a pheint o gwrw i'r merched ar ôl y cyfarfodydd hyn. Oherwydd ein bod yn mynd i ddefnyddio cyffuriau i drin cleifion ar ôl graddio, roedd cwmnïau cyffuriau yn ddigon parod i roi arian tuag at wobrau ar gyfer pethau fel hyn. Y bwriad, wrth gwrs, oedd inni fod yn gyfarwydd ag enw'r cwmni a'i gynnyrch.

Cystadleuaeth rhwng pob blwyddyn o fyfyrwyr oedd y rhain a chwpan i'w hennill. Roedd gan y Gymdeithas wydryn yfed llathen o hyd, yn dal bron i dri pheint o gwrw. Byddai pob blwyddyn yn cael ei chynrychioli gan ei hyfwyr cyflymaf, un bachgen ac un ferch. Roedd techneg arbennig i yfed y llathen a'r gorau yn gallu yfed tri pheint mewn chwarter munud. Nid oedd fy llyncu i yn ddigon sydyn i'r gêm yma a byddai'r goreuon o'r merched yn gallu suddo peint yn gyflymach na'r rhan fwyaf o'r hogiau. Arferai merched Sir Gaernarfon wneud yn dda iawn ac ar un adeg roedd dwy ohonynt yn cynrychioli eu blwyddyn yn y cystadlaethau hyn.

Bob hyn a hyn, byddai gwibdaith yn cael ei threfnu gan y Gymdeithas. Y fwyaf anturus o'r rhain oedd yr un flynyddol i Ffrainc, am benwythnos ym Mharis. Ar ôl i'r cyfarfod orffen ar y nos Iau byddai'r daith yn cychwyn i lawr hefo bws i ddal y llong i Ffrainc a dychwelyd yn ôl ar y Sul. Y flwyddyn cyn i mi fynd i'r Brifysgol, bu bron i un o'r teithwyr gael ei ladd, sef Shaun, cyfaill i mi a fu'n was priodas i mi ac yn ddiweddarach yn dad bedydd i Siân, fy merch.

Ar benwythnos gêm rygbi ryngwladol y digwyddodd hyn. Gan nad oedd tocynnau ar gael, bu'n rhaid gwylio'r gêm ar y teledu. Nid oedd Shaun wedi arfer yfed cyn mynd i'r Brifysgol ac roedd y gwin wedi mynd i'w ben. Dechreuodd gadw reiat ac aflonyddu ar y gweddill oedd yn ceisio gwylio'r gêm. Penderfynwyd ei gloi yn ei ystafell iddo gael llonyddu ond nid oedd hyn yn plesio Shaun. Sylweddolodd fod oriel tu allan i'w ffenestr a cheisiodd fynd o un oriel i oriel y drws nesaf gan feddwl dianc drwy'r ystafell nesaf. Yn anffodus, collodd ei afael wrth geisio gwneud hynny ac yntau ar y trydydd llawr!

Mae lleoedd bwyta yn Ffrainc i'w cael ar y stryd y tu allan i westai gyda gorchudd defnydd uwch eu pennau. Yn ffodus i Shaun, fe dorrodd hyn ei gwymp a'r unig anaf a gafodd oedd torri asgwrn dibwys yn ei ochr. Er hynny, roedd yn boenus iawn ac aed â fo i'r ysbyty a bu'n rhaid iddo aros yno am rai dyddiau ar ôl i bawb arall fynd adref.

Dro arall, trefnwyd taith i Blackpool i weld y goleuadau. Ar ôl gweld rhai ohonynt, aeth rhai aelodau o'r Gymdeithas o amgylch tafarn neu ddwy cyn gwneud rhywbeth hollol wirion, sef ceisio cerdded hyd bennau ceir mewn maes parcio. Gwelwyd hwy gan yr heddlu ac fe'u dirwywyd yn drwm iawn yn y llys.

Cyn torri am wyliau'r Nadolig, cynhelid cyngerdd yn Undeb y Myfyrwyr. Yr oedd hyn ar ffurf cystadleuaeth, â phob blwyddyn yn darparu drama. Roedd rhyddid gan bawb i ddewis unrhyw destun ond roedd yn rhaid i'r llinellau i gyd odli mewn cwpledi. Roedd y gystadleuaeth yn agored i'r cyhoedd, oedd yn ddigon bodlon dod i weld y sioe. Byddai'r testunau'n amrywio, o Robin Hood, Snow White neu Al Capone, i stori'r Brenin Arthur ac yn y blaen. Panel o feddygon oedd yn barnu'r dramâu, rhai yn feddygon ieuainc ac eraill yn athrawon ac yn ymgynghorwyr. Ar ôl i mi raddio cefais y fraint o fod yn un o'r barnwyr gyda sedd arbennig yn y rhes flaen a chwrw am ddim am y noson.

Byddai myfyrwyr pob blwyddyn yn cael y llwyfan i berfformio yn eu tro. Byddai'r flwyddyn gyntaf o dan anfantais am nad oeddent yn gwybod beth i'w ddisgwyl a chaent y fraint o fynd ar y llwyfan yn gyntaf cyn i'r dyrfa gynhesu'n iawn. Ar ôl i bawb berfformio byddai'r barnwyr eisiau amser i ddewis yr enillwyr ac er mwyn diddanu'r dyrfa yn ystod yr egwyl byddai cystadleuaeth fwyta yn cael ei chynnal.

Cefais y 'fraint' o gynrychioli fy mlwyddyn unwaith. Ni wyddwn beth oedd y bwyd i fod a phe bawn yn gwybod ymlaen llaw, fuaswn i ddim wedi mentro. I ddechrau, rhoddwyd peint o gwrw, darn o siocled, Weetabix sych ac oren ar y bwrdd o'n blaenau. Eithaf blasus meddwn wrthyf fy hun. Ond nid dyna'r cwbl. Rhoddwyd llygad dafad, iau a physgodyn amrwd, bag te a thun sbaghetti oer o'n blaenau hefyd! Nid fi enillodd y noson honno!

Tra yn y drydedd flwyddyn, ein drama ni a enillodd,

a hynny y noson cyn arholiad diwedd y tymor. Gan fod y darparu tuag at y ddrama wedi mynd â llawer iawn o amser, nid oedd fawr neb oedd yn y ddrama wedi cael amser i adolygu ar ei chyfer, a finnau yn eu plith. Ar ben hyn i gyd, roedd y ffaith fod dathlu mawr wedi bod ar ôl ennill ac ychydig iawn o gwsg a gefais y noson honno cyn mynd i'r arholiad.

Gan nad oedd yr arholiad yn bwysig a phawb mewn hwyl dda ar ôl ennill, nid oedd llawer yn ei chymryd o ddifrif. Am fy mod wedi codi'n rhy hwyr i gael brecwast euthum â photel o lefrith a bara i mewn gyda mi. Er mai hon oedd yr unig arholiad i mi fethu â gwneud unrhyw waith o gwbl ar ei chyfer, cefais fy marc uchaf − 86%! Efallai mai cyfrinach llwyddo mewn arholiad yw peidio â gweithio ar ei chyfer?

Ar ddiwedd fy nghyfnod fel myfyriwr cefais yr anrhydedd o gael fy ngwneud yn aelod anrhydeddus am oes o'r Gymdeithas am fy nghyfraniad yn ystod y pum mlynedd blaenorol. Allan o gant a hanner o fyfyrwyr, dim ond pump a gafodd yr anrhydedd hon.

Wrth gyfarfod myfyrwyr o ysgolion meddygol eraill yn y wlad, mae'n amlwg mai gan Lerpwl y mae'r Gymdeithas Myfyrwyr Meddygol mwyaf bywiog drwy'r wlad. Mae ysgolion meddygol eraill wedi eu synnu ein bod yn gallu cynnal cyfarfodydd wythnosol gyda chynulleidfa o rai cannoedd a denu siaradwyr mor enwog. Mae cyfraniad y Gymdeithas i fywyd y Brifysgol yn parhau i fod yn enfawr.

Chwarae Rygbi

Flynyddoedd yn ôl, roedd cael mynd i Ysgol Feddygol yn dibynnu ar dri pheth. Yn gyntaf roedd angen digon o arian i dalu am y cwrs. Yr ail beth oedd ymateb yr ymgeisydd i bêl rygbi a gâi ei thaflu ato fel y cerddai i mewn drwy'r drws i'r cyfweliad. (Os daliai'r bêl roedd hynny'n ffafriol iawn.) Y trydydd pwynt oedd y safle a chwaraeai ar y maes rygbi. Os oedd gormod o flaenwyr a dim digon o gefnwyr, ymgeiswyr yn chwarae fel cefnwyr fyddai'n cael blaenoriaeth. Efallai fod yr uchod yn gorddweud, ond mae rygbi yn chwarae rhan ganolog iawn ym mywyd cymdeithasol yr Ysgol Feddygol. O fewn dyddiau fe ddeuthum i adnabod nifer o hogiau drwy weithgareddau'r clwb rygbi ac mae amryw yn dal i fod yn ffrindiau agos hyd heddiw.

Yn ystod ein penwythnos gyntaf yn y Brifysgol fe gynhaliwyd y treialon. Gan nad wyf yn dal iawn ac yn rhy araf i chwarae ymysg y cefnwyr, bûm yn chwarae fel bachwr er fy nyddiau ysgol. Roeddwn wedi clywed fod bachwr caled o Gastell-nedd wedi bod yn chwarae i dîm cyntaf yr Ysgol Feddygol am dair blynedd. Gan fy mod wedi chwarae i ysgolion gogledd Cymru ac yn un o'r treialon rhyngwladol i fechgyn ysgol, doeddwn i ddim yn hapus gyda'r syniad o chwarae i unrhyw ail dîm.

Bu chwarae caled y prynhawn hwnnw, â'r bachwyr yn weddol gyfartal. Yna, daeth y newyddion fy mod wedi fy newis i chwarae yn erbyn Coleg y Brifysgol, Bangor yr wythnos ddilynol. Daliais fy ngafael yn safle bachwr y tîm cyntaf weddill fy amser yn Lerpwl. Newidiodd y chwaraewr o Gastell-nedd ei safle a mynd yn brop a buom yn uned effeithiol am dair blynedd nes iddo raddio. Nid oedd unrhyw ddrwgdeimlad rhyngom neu fe fyddwn wedi cael y *veto* wrth geisio symud i Rif Chwech gan ei fod yntau yn byw yno hefyd.

Roedd yn arferol chwarae tair gêm mewn wythnos, sef brynhawn Mercher, y Sadwrn a'r Sul. Roedd safon y chwarae yn uchel iawn ac un chwaraewr wedi chwarae i ysgolion Lloegr a nifer i'r Sir. Er bod tîm da gan y Brifysgol, i'r myfyrwyr meddygol yr oedd pob chwaraewr medrus yn chwarae. Am flynyddoedd gwrthododd y Brifysgol roi eu tîm cyntaf allan yn ein herbyn gan ddweud nad oeddem yn deilwng o'r fath anrhydedd, ond un flwyddyn fe gawsom gêm yn erbyn eu tîm cyntaf, ac er iddi fod yn gêm galed, cafodd y Brifysgol gweir. Ar ôl hynny, gwrthodasant chwarae yn ein herbyn.

Daeth fy rhieni i wylio'r gêm gyntaf yn erbyn Coleg y Brifysgol, Bangor. Yn anffodus, colli 16-0 a wnaethom. Er hynny roedd yn rhaid aros i gymdeithasu â'r enillwyr tan amser cau cyn cychwyn yn ôl am Lerpwl. Bu'n rhaid cael hyd i gyfleusterau mewn gwesty yn fuan ar ôl gadael Bangor. Ar deithiau fel hyn byddai rhyw ysfa yn gafael yn y bechgyn ac yn eu troi'n lladron a'r peth arferol i'w ddwyn oedd arwyddion. Wrth fynd i ddefnyddio cyfleusterau'r gwesty, diflannodd nifer o arwyddion o'r lle. Hefyd roedd nifer o fasgedi yn cynnwys cig iâr a sglodion ar fwrdd yn y gwesty, yn barod i'w dosbarthu a neb yn cadw llygad arnynt. Mae arna i ofn fod y rheini wedi diflannu hefyd.

O dro i dro, byddem yn cael trafferth gyda'r gyrrwr bws a digwyddodd hyn ar y ffordd i Leeds un tro. O'r dechrau roedd yn amlwg nad oedd llawer o hwyl ar y gyrrwr. Roedd eisiau cychwyn adref yn gynnar, am saith o'r gloch meddai. Er nad oeddem yn rhy hapus o adael ein gwesteiwyr mor fuan â hyn, dyma gytuno â'i ddymuniad.

Ar ôl y gêm cawsom wahoddiad i fynd i dafarn gyda bechgyn Leeds. Er nad oedd y lle ond ychydig gannoedd o lathenni allan o'i ffordd, roedd y gyrrwr yn dymuno mwy o arian gennym. Gwrthod a wnaethom. Roedd pawb yn barod am saith i fynd adref er i beth rhwystr ddigwydd oherwydd fod rhai o'r bechgyn wedi eu dal yn ceisio dwyn bwrdd o'r dafarn a'i gario ar y bws.

Unwaith inni gychwyn, dechreuodd y canu, yn ôl yr arfer. Yn anffodus, nid oedd y gyrrwr yn hoff o'n cerddoriaeth ni. Ddarllenwr annwyl, dywedaf wrthych ei bod yn anodd iawn i un dyn roi terfyn ar ganu clwb rygbi heb achos go dda! Dechreuodd yr hogiau dynnu ar y gyrrwr a hwnnw'n amlwg yn gwylltio'n gacwn.

Y cam nesaf oedd i'r gyrrwr ein cyhuddo o fwyta sglodion tatws ar y bws oherwydd dychmygai fod arogl sglodion yn yr awyr. Y gwir oedd nad oedd sglodion gennym o gwbl. Er i ni wadu, roedd yn rhaid iddo chwilio'r bws am fod bwyta sglodion ar y bws yn erbyn rheolau'r cwmni, medda fo. Erbyn hyn roedd yr hogiau wedi dechrau blino ar y lol yma ac fe daflwyd amheuon ar gyfreithlondeb priodas rhieni'r gyrrwr, ymysg rhegfeydd eraill.

I ffwrdd â ni unwaith eto, gan ganu'n llon (y rhan fwyaf ohonom, o leiaf). Yna fe dynnodd y bws i mewn i le bwyta ar y draffordd a chyhoeddodd y gyrrwr fod yn rhaid i ni fynd oddi ar y bws am ein bod yn gwneud gormod o sŵn. Chwerthin am ei ben a wnaethom ni. Yna, cyhoeddodd ei fod am fynd i nôl yr heddlu i ddelio â ni ac i ffwrdd â fo.

Erbyn hyn, doedd neb yn poeni rhyw lawer am ei sefyllfa, a dyma ddiddanu ein hunain drwy ganu. Ymhen hanner awr daeth y gyrrwr yn ôl, heb yr heddlu. Y farn gyffredinol oedd ei fod wedi cael rhywbeth i'w fwyta ar ôl i arogl y sglodion godi chwant bwyd arno. Nid y ni oedd yr unig rai i gael trafferth â'r gyrrwr yma. Fe ysgrifennwyd llythyr at y cwmni a chwyno amdano a chan fod llawer o gwynion tebyg, fe'i diswyddwyd yn fuan wedyn.

Ar y daith adref ar ôl chwarae ym Manceinion roedd yn draddodiad rhoi triniaeth arbennig i hogiau newydd y flwyddyn gyntaf. Mae eli o'r enw 'Sloane's Liniment' i'w gael ar gyfer poenau yn y cyhyrau sy'n creu gwres mawr ar ba ran bynnag o'r corff y'i rhoddir. Roedd y driniaeth yn cynnwys arllwys yr eli ar ran go deimladwy o'r corff, a losgai am oriau wedyn!

Yn ogystâl â chwarae yn erbyn ysgolion meddygol eraill, roedd gêmau yn erbyn timoedd o gwmpas Lerpwl hefyd. Mantais hynny oedd fod costau teithio lawer iawn yn is. Os oeddem yn chwarae gartref, byddai pawb yn cael mynd i dafarn y Mount Vernon wedyn. Hen wraig yn ei chwedegau oedd yn rhedeg y lle, o'r enw Aggie. Ar ei phen ei hun y gwnâi hynny am fod y Sirosis yn eithaf drwg ar ei gŵr ar ôl gyrfa hir y tu ôl i'r bar. Eisteddai hwnnw'n ddistaw yn y gornel â'i wydryn byth yn wag. Roedd croeso mawr i'w gael gan Aggie bob amser ac nid oedd yn malio dim am ganu coch y bois rygbi.

Arferai Aggie ddarparu bwyd i ni am bris rhesymol iawn. Yn wir, roedd ei chalon yn y lle iawn. Ambell dro byddai un o'r hogiau'n fyr o arian ac yn gofyn iddi newid siec. Doedd hi ddim yn coelio mewn banciau felly doedd hi ddim yn bosib iddi newid sieciau, ond byddai'n rhoi benthyg yr arian heb feddwl ddwywaith am y peth.

Yr unig beth nad oedd yn ei hoffi oedd pobl yn sefyll ar y seddau a'r byrddau yn y dafarn. Gan fod rhai o'r caneuon yn ganeuon actol, a dim llawer o le yn y dafarn, fe fyddai sefyll ar fyrddau a seddau yn digwydd yn reit aml. Pe gwelai Aggie hyn, deuai i mewn yn cario coes brws llawr a'i ddefnyddio ar gefn y troseddwyr.

Gan fod pedwar o hen ddisgyblion Ysgol Syr Hugh Owen yn y tîm cyntaf ar un adeg, roedd cysylltiadau cryf gennym â Chlwb Rygbi Caernarfon. Trefnwyd gêm flynyddol rhyngom. Yn hytrach nag i ni fynd i Gaernarfon, credaf ei bod yn well gan hogiau Caernarfon ddod atom ni er mwyn iddynt gael penwythnos yn Lerpwl. Fel arfer, byddai bws fach wedi ei threfnu i ddod â'r hogiau draw. Ar ôl sglodion a pheint yn Rose Lane amser cinio ddydd Sadwrn, byddai'n amser i fynd draw am y gêm.

Un tro roedd tîm Caernarfon braidd yn fyr a bu'n rhaid iddynt gael benthyg chwaraewr gennym ni. Aeth fy nghyfaill, Rhodri, ar yr asgell iddynt. Nid oedd Rhodri'n fychan o bell ffordd a rhoddodd dacl i un o'n chwaraewyr ni a'i frifo. Hynny fu. Ar ôl i ni ennill 39-6 aeth pawb am gawod. Yn ystod y gawod dechreuodd y chwaraewr oedd wedi ei anafu deimlo'n wan a chael poen yn ei ysgwydd chwith. Roedd hyn yn golygu fod y chwarren ger y stumog *(spleen)* wedi ei hanafu. Yn wir, dyna oedd wedi digwydd a chafodd lawdriniaeth frys y noson honno.

Ar ôl y gêm, byddai'n rhaid mynd â'r hogiau i ble bynnag yr oeddent am dreulio'r noson. Fel arfer, byddai rhai yn aros yn Rhif Chwech. Soniais yn gynharach nad oedd glendid yn un o rinweddau'r lle. Pan welodd rhai o'r hogiau'r lle am y tro cyntaf, ymateb un Cofi oedd:

'Blydi hel, Mel. Fuasai *industrial cleaners* ddim yn twtsiad y lle 'ma, co'.

Ar ôl bod i lawr yn y Mount Vernon am awr neu ddwy, byddai rhai o'r hogiau eisiau mynd i flasu bywyd Lerpwl ar nos Sadwrn. Mae amryw hanesion y gallwn eu dweud ond nid oes cyfreithiwr mor dda â hynny gennyf! Credaf mai'r stori ddigrifaf oedd digwyddiad yng nghlwb nos y 'She', clwb eithaf enwog yn y byd meddygol. Ychydig flynyddoedd yn ôl darganfuwyd math o glefyd gwenerol (VD) nad oedd modd ei drin gydag antibioteg arferol, a gychwynnodd yn y Philippines. Gan fod Lerpwl yn dal i fod yn borthladd eithaf pwysig, drwy'r clwb 'She' y darganfuwyd y claf cyntaf ym Mhrydain.

Aeth amryw o'r hogiau i lawr yno. Yn ystod y noson, dechreuodd rhai ohonynt siarad â'r merched oedd yno. Roedd safonau moesol rhai o'r merched yma'n amheus iawn a rhai ohonynt wedi dechrau mynd i oed. Er gwaethaf hynny, roedd yn amlwg fod y merched yn edrych flynyddoedd yn ieuengach ac yn fwy deniadol gyda phob cegiad o gwrw Higsons. Roedd un o hogiau Caernarfon wedi mynd mor gyfeillgar ac un o'r merched yma fel y mentrodd roi ei fraich amdani. Yn amlwg nid oedd hi'n disgwyl hynny. Cafodd y fath fraw fel i'w dannedd gosod ddisgyn ar y llawr!

Unwaith bob blwyddyn, ar benwythnos y gêm ryngwladol, byddem yn mynd i Ddulyn, ac yn chwarae rygbi yn erbyn y myfyrwyr meddygol yno ar fore Sadwrn cyn mynd i weld y gêm yn y prynhawn. Roedd yn rhaid cychwyn ar fore Gwener a chael diwrnod i ffwrdd o'r darlithoedd. Ar y daith hon ar y llong y cefais fy mheint cyntaf o Guinness. Ar ôl cyrraedd, aem i gyfarfod y myfyrwyr meddygol Gwyddelig a blasu awyrgylch arbennig Dulyn hyd oriau mân y bore. Drannoeth, fyddai neb yn rhy awyddus i chwarae rygbi. Fel arfer, roedd y Gwyddelod dipyn gwell na ni ac nid enillais yr un gêm erioed yn Nulyn.

Ar ôl y gêm, byddai'r hogiau'n mynd allan i'r clybiau nos. Gan fod tyrfa fawr yn dod o Lansdowne Road, yn aml byddai rhai o'r hogiau'n cael eu gwasgaru. Felly byddai trefniadau wedi eu gwneud i gyfarfod mewn rhyw glwb arbennig ymhellach ymlaen.

Roedd un o'r hogiau wedi anghofio yn union lle'r oedd i gyfarfod y gweddill ohonom. Fel arfer, mae ceidwaid ar ddrysau'r clybiau hyn a phris go drwm i'w dalu i fynd i mewn. Gofynnodd i geidwad un o'r clybiau a fuasai'n cael mynd i mewn i edrych a oedd yr hogiau eraill yno. Wrth gwrs mae hyn yn hen dric i gael mynd i mewn heb dalu. I ddangos ei fod yn onest ac o ddifrif, rhoddodd ei waled yn llawn o arian i'r ceidwad i'w warchod nes iddo ddod allan.

Nid oedd yr hogiau yn y clwb, ac mae'n rhaid dweud fod yr unigolyn yma braidd yn feddw erbyn hyn. Anghofiodd ofyn am ei waled yn ôl wrth fynd allan. Erbyn iddo sylweddoli hynny roedd wedi anghofio lle'r oedd y clwb. Gan fod chwant bwyd arno erbyn hynny, aeth i dŷ bwyta gan wybod yn iawn nad oedd arian ganddo i dalu am bryd. Tynnodd ei gôt, bwyta'r bwyd a rhedeg allan heb dalu. Ar ôl mynd allan i'r oerni, sylweddolodd ei fod wedi gadael ei gôt ledr yn y tŷ bwyta. Heb feddwl ddwywaith, aeth yn ôl i'r tŷ bwyta i nôl ei gôt! Yn ffodus, ni chafodd ei ddal.

Adeg gêm rhyngwladol arall cefais gynnig chwarae rygbi yn Llundain gyda thîm y meddygon graddedig, yn Glasgow gyda'r deintyddion neu yng Nghaeredin gyda'r milfeddygon. Yr olaf a ddewisais a chychwyn mewn bws am hanner awr wedi pump o Lerpwl a chyrraedd Caeredin am hanner dydd.

Roedd cyfaill yn dwyn y llysenw Veggie gyda mi, hynny oherwydd iddo fod yn llysieuwr ar un adeg. Ar ôl y gêm roedd yn rhaid dathlu, er mai Ffrainc a drechodd yr Albanwyr. Ddiwedd y noson roeddem mewn gwesty, er nad yno yr oeddem am aros. Roedd myfyriwr milfeddygol, Paul Lunn, yn gofalu am le inni aros y noson honno. Cofiaf weld Veggie yn gorwedd ynghwsg ar ben bwrdd tra oeddwn i'n canu gyda'r Albanwyr a'r milfeddygon. Cynigiodd amryw filfeddygon Caeredin roi llety inni ond gwelais ferch eiddil, hollol sobr yn dod i mewn a siarad â Paul Lunn. Dywedodd ei bod wedi gaddo rhoi llety i ddau ar yr amod eu bod yn sobr – cais amhosib, mae arnaf ofn. Trodd Paul ati a dweud fod y creadur oedd yn cysgu ar y bwrdd a hwnnw'n canu yn y gongl – sef fi – angen llety. Drannoeth roedd yn rhaid chwarae rygbi yn erbyn milfeddygon Caeredin gyda chur yn y pen!

Ambell waith, roedd yn anodd cael tîm rygbi llawn i chwarae oherwydd arholiadau. Digwyddodd hyn y diwrnod yr oeddem i fod i fynd i chwarae yn erbyn Coleg Prifysgol Salford. Bryd hynny, roedd Salford yn un o'r timau Prifysgol cryfaf, felly roedd angen tîm go lew arnom.

Y bore hwnnw, cefais alwad gan y capten yn dweud na allai chwarae. Gan mai fi oedd yr is-gapten, fy nyletswydd i oedd trefnu'r tîm. Dim ond pedwar o'r tîm cyntaf arferol oedd ar gael a bu bron i mi ohirio'r gêm. Euthum o gwmpas yr ysgol feddygol ac Ysbyty Frenhinol Lerpwl i geisio cael mwy o chwaraewyr. Erbyn amser cychwyn roedd gen i bymtheg o chwaraewyr ond yn anffodus, doedd pump o'r rheini ddim wedi chwarae cyfanswm o ddwsin o gêmau rygbi rhyngddynt!

Roeddwn yn teimlo'n anhapus iawn gyda'r sefyllfa

ond mynd i Salford a wnaethom. Gwyddwn sut y teimlai'r swyddogion a arweiniodd Ruthr y Frigâd Ysgafn, gan wybod fod gynnau mawrion yn ein hwynebu. Er fy syndod cefais fy siomi ar yr ochr orau. Colli 22-9 a wnaethom ond fe chwaraeodd pawb yn dda iawn yn erbyn tîm cryf. Roeddwn yn falch iawn o'r hogiau y prynhawn hwnnw.

I redeg clwb rygbi mae angen arian parod i dalu am grysau, bwyd i'r ymwelwyr ac yn y blaen, ac er mwyn cael arian yn y banc fe fyddai'n rhaid i'r myfyrwyr dalu tâl aelodaeth. Roedd hi'n ddigon anodd casglu'r arian yma a nifer fawr yn rhoi esgusodion rhag talu. Tra oeddwn i'n drysorydd, cefais gyfle i gael y £5 aelodaeth oddi wrth bawb, bron. Roedd y chwaraewyr wrthi'n ymgasglu yn yr Ysgol Feddygol i fynd i chwarae i ffwrdd ar brynhawn Mercher. Tra oeddwn yn disgwyl cesglais yr arian gan bawb er mwyn talu am y bws, sef £5 yr un.

Y bore hwnnw, cefais alwad ffôn gan gapten ein gwrthwynebwyr yn dweud fod y caeau'n rhy wlyb i chwarae arnynt a bod yn rhaid gohirio'r gêm. Ni soniais ddim am y peth nes ar ôl casglu'r arian i mewn. Roedd cwyno mawr pan ddywedais nad oedd modd cael yr arian yn ôl am fod y £5 yn mynd at dâl aelodaeth!

Ceisiais gael cwmnïau cyffuriau i gyfrannu arian at y clwb ond am nad oeddem yn gallu defnyddio'u cynnyrch, ches i ddim llwyddiant. Ar un adeg roedd sefyllfa ariannol y clwb mor ddrwg fel yr ysgrifennais at wahanol gwmnïau, gan gynnwys Cwmni Rwber Llundain, a chynnig rhoi enw eu cynnyrch ar gefn y crysau rygbi. Cefais lythyrau yn diolch yn fawr am y cynnig ond yn ein gwrthod.

Ar ôl graddio, dechreuais chwarae i dîm y meddygon graddedig ac yn ystod fy swydd fel Meddyg Tŷ cefais fy ethol yn gapten y tîm a adwaenir fel LUMPS, sef

Liverpool University Medical Postgraduates Society – nid siâp corfforol y chwaraewyr oedd yn gyfrifol am yr enw! Roedd hi'n llawer iawn haws cael arian i redeg y tîm hwn a hynny gan gwmnïau cyffuriau.

Ar y dechrau, câi LUMPS fenthyg pymtheg o grysau sbâr gan dîm rygbi'r gynghrair yn Huyton am fod un ohonom yn feddyg i'r tîm. Yn anffodus, aeth eu clwb rygbi ar dân. Llosgwyd eu crysau arferol a bu'n rhaid rhoi'r crysau'n ôl. Roedd angen £600 i brynu crysau newydd ond llwyddwyd i gasglu'r arian yn fuan iawn drwy gwmnïau cyffuriau.

Er mwyn gwneud bywoliaeth, mae'n rhaid i'r cwmnïau hyn werthu eu cyffuriau a chan mai meddygon sydd yn eu rhagnodi i'r cleifion, rhaid i'r cwmnïau wneud yn siŵr fod y meddygon yn gwybod am eu cynnyrch. I wneud hynny maent yn cynhyrchu ffilmiau yn dangos rhinweddau'r cyffur, gan dalu am fwyd a diod i'r meddygon cyn y ffilm. Bydd cwmni cyffuriau'n trefnu i ffyrmiau paratoi bwyd ddod â bwyd i'r Mess neu i'r feddygfa, a hynny yn rhad ac am ddim.

Yn hytrach na chael y bwyd am ddim, roedd yn well gennym ni gael yr arian, y tro hwn. Felly cynhaliwyd cyfarfod yn ein fflat uwchben Rhif Chwech. Am bob meddyg oedd yn bresennol rhoddai'r cwmni cyffur £4 neu £5 i'r clwb, sef gwerth y pryd bwyd. Bu'n rhaid i ni wylio ffilm ar gynnyrch y cwmni, wrth gwrs. Fel arfer, caem siec am swm rywle rhwng £80 a £120 bob tro, ac yn fuan iawn roedd gennym ddigon o arian i brynu crysau newydd sbon du a gwyn, rhai gyda LUMPS mewn ysgrifen goch arnynt.

Gan fod aelodau tîm LUMPS yn gweithio ambell i benwythnos, roedd yn anodd cael tîm allan bob wythnos. Felly bob rhyw dair wythnos i fis y byddem yn chwarae. Gan amlaf, byddem yn chwarae yn erbyn timau o Lerpwl, gan gynnwys ceidwaid carchar Walton. Roedd yn gyfle i gymdeithasu a chadw mewn cysylltiad â phobl oedd ar wasgar ar draws y ddinas, ac allan yn y wlad.

Ddechrau'r tymor ym mis Medi, arferem fynd i lawr i Abingdon ger Rhydychen. Mae cystadleuaeth saith-bob-ochr hynaf y wlad yn cael ei chynnal yno. Trwy wahoddiad yn unig y mae cael chwarae, ond gan fod un o'r meddygon teulu yno wedi graddio yn Lerpwl ac yn adnabod llawer i 'LUMP', cawsom wahoddiad.

Mewn bws bach ar y dydd Sadwrn yr arferem fynd, a chyrraedd Abingdon erbyn tua chwech o'r gloch y nos. Ar ôl i bawb adael eu sachau cysgu ac ati yn nhŷ'r meddyg, byddem yn mynd i'r dafarn. Yn hytrach na phawb yn talu ar wahân am gwrw, yr arfer oedd i bawb gyfrannu pumpunt i'r *kitty*. Gan fod gennym ddau dîm yn chwarae yn y gystadleuaeth, roedd pedwar ar ddeg ohonom i lawr yno ac mae'r nifer yma o wydrau peint yn llawn o gwrw yn anodd eu cario. Felly, tywelltid y cwrw i mewn i fwced blastig ger y bar a'i gludo i'r hogiau iddynt gael llenwi eu gwydrau allan ohoni.

Ar y nos Sadwrn hon cyn y gystadleuaeth, trefnwyd barbeciw yn y clwb rygbi. Nawr mae pobl de Lloegr yn ystyried eu hunain yn fwy bonheddig na gweddill y wlad ac yn hoffi G&T (*gin and tonic*, i chi a fi) yn hytrach na pheintiau. Fel arfer, dyletswydd un o'r hogiau iau oedd nôl y cwrw. Y noson honno, Gwilym oedd ar ddyletswydd. Aeth at y bar lle'r oedd amryw'n sipian eu G&T a rhoi'r bwced ar y bar a gofyn am ddau alwyn o gwrw chwerw, a hynny yn ei acen Gymraeg orau. Edrychodd pawb yn syn arno ac i ddechrau roedd y gŵr y tu ôl i'r bar yn meddwl mai jôc oedd hyn. . .

Rhaid dweud fod y bwyd yn ardderchog, yn enwedig selsig cartref Bill Brown. Roedd coelcerth yno hefyd.

Roedd hi hefyd yn draddodiad ar noson Tân Gwyllt yn Rhif Chwech i gael cystadleuaeth go anarferol. Ar ôl i'r tân ddistewi a disgyn i'r llawr cynhelid cystadleuaeth reidio beic dros y tân gan ddefnyddio ramp. Am nad oedd gennym ramp y noson honno, bu'n rhaid neidio dros y tân − peth anarferol iawn i bobl y de. Gwilym oedd ein pencampwr. Yn anffodus rhoddodd dro drwg i'w ffêr a bu'n rhaid galw am ambiwlans i fynd â fo i'r ysbyty yn Rhydychen ac aeth Rhodri Spleencruncher Jones a minnau gydag ef.

Roedd hi tua dau o'r gloch y bore erbyn i ni gyrraedd Adran Ddamweiniau'r ysbyty, amser prysur yn y fath le mewn dinas fawr ac yn llawn fel arfer o feddwon. Roedd golwg eithaf gwyllt arnom ninnau ein tri ar ôl bod yn y barbeciw, a neb yn gwybod mai meddygon oeddem. Bu'n rhaid disgwyl am amser go hir. Toc, blinodd Gwilym a galwodd y meddyg ato. Roedd mab i Athro Llawfeddygaeth Orthopedig Rhydychen yn byw yn Rhif Chwech ar y pryd, a chyhoeddodd Gwilym y ffaith yma yn eglur i'r meddyg. Buan iawn y cafodd Gwilym ei archwiliad pelydr-X a gwelwyd bod ei ffêr wedi torri. Felly, yr oedd Gwilym allan o'r gystadleuaeth.

Byddai enillwyr y gêm gyntaf yn mynd ymlaen i chwarae am y cwpan. Er mwyn i'r rhai oedd wedi colli gael gêmau eraill, byddai'r rheini'n cystadlu am y darian, a safon y timau'n uchel iawn. Tenau iawn oedd siawns LUMPS o ennill y cwpan. Galwai hyn am dacteg o ryw fath. Fel capten y tîm saith cyntaf, gorchmynnais yr hogiau i beidio â'u lladd eu hunain yn y gêm gyntaf er mwyn colli a mynd i gystadleuaeth y darian. Felly y bu. Enillwyd y ddwy gêm nesaf ac roedd ysbryd y tîm yn uchel erbyn hyn. Yr un nesaf oedd y gêm gyn-derfynol. Yn anffodus roedd y ddaear yn galed fel haearn Sbaen am i'r tywydd fod yn braf iawn.

Canlyniad hyn oedd i un o'r styds greu swigen boenus ar wadn fy nhroed. Nid oeddwn eisiau colli chwarae yn y gêm nesaf oherwydd pe enillem byddai pawb yn cael medal am gyrraedd y rownd derfynol.

Roedd blwch cymorth cyntaf gennym ar gyfer achlysuron fel hyn ac euthum i edrych beth oedd ynddo i leddfu poen y swigen, ac yn wir, roedd digon o anaesthetig lleol yno rhag ofn y byddai angen pwytho rhywun. Yn sydyn cefais y syniad o ddefnyddio'r anaesthetig ar y swigen. Yn anffodus, mae angen rhoi pigiad i wneud hyn. Eisteddais ar y llawr gan edrych ar y swigen o dan fy nhroed a'r nodwydd yn fy llaw. Er fy mod wedi rhoi cannoedd o bigiadau i eraill, ni fedrwn roi'r nodwydd yn fy nhroed fy hun. Heb yn wybod i mi, roedd Shaun yn fy ngwylio. Pan sylweddolodd nad oeddwn am wneud, neidiodd arnaf a'm dal i lawr gan weiddi ar yr hogiau eraill i'w gynorthwyo. Anodd iawn oedd symud a bois 'tebol y tîm rygbi yn eistedd arnaf. Defnyddiodd Shaun y nodwydd, a choeliwch chi fi, yr oedd yn boenus. Roedd aelodau'r timau eraill yn edrych yn ddigon syn wrth weld y meddygon yn rhoi pigiad i aelod o'u tîm a hwnnw'n sgrechian! Ar ôl munud neu ddau, fe ddiflannodd y boen yn gyfangwbl a chwaraeais yn y gêm. Yn anffodus, colli wnaethom ni ac ni chafwyd medal y flwyddyn honno.

Roedd cysylltiad cryf rhwng timau rygbi y myfyrwyr meddygol, y milfeddygon a'r deintyddion. Credaf mai'r rheswm dros hyn oedd ein bod ni yn y Brifysgol am gyfnod llawer hwy na myfyrwyr eraill, ac ni wnaeth y cysylltiad hwn orffen ar ôl graddio, chwaith. Un penwythnos fe drefnwyd i dîm LUMPS fynd i'r Drenewydd i chwarae dros y penwythnos. Ein cysylltiad â'r lle oedd Lloyd Jones, milfeddyg lleol a fu yng Ngholeg y

Brifysgol gyda ni. Felly i lawr â ni, a chwarae ar y prynhawn Sadwrn.

Roedd hwn yn achlysur cymdeithasol a daeth nifer o filfeddygon a meddygon o wahanol rannau o'r wlad i chwarae yn y gêm, a'r rhain yn cynnwys nifer o Ysgol Syr Hugh Owen sef Paul Lunn, Dr Keith Harris a Dafydd Huws a oedd erbyn hynny yn gyfrifydd yn Lerpwl.

Mewn tafarn yn y Clun, ychydig filltiroedd o'r Drenewydd yr arhosem dros nos. Fel yr âi'r noson yn ei blaen, dechreuodd y canu, ac roedd yn amlwg nad oedd nifer o lafnau'r pentref yn ein hoffi ni'r llu 'estroniaid'. Ychydig cyn amser cau bu sgarmes dros y bwrdd snwcer. Ar ôl i berchennog y tŷ tafarn ddistewi pethau, ofnem iddo wrthod inni aros dros nos fel y trefnwyd, a'n taflu allan. Ond yn hytrach, taflodd y llafnau lleol allan a bu'r bar yn agored yn hwyr y tu ôl i ddrysau caeedig!

Gwyddem nad oedd digon o welyau i bawb. Am mai fi oedd y capten ac am mai fi felly oedd wedi trefnu'r daith, teimlwn fod gen i hawl i un o'r gwlâu oedd ar gael a rhoddais fy mhethau arno. Ond ar ôl cyrraedd fy ngwely yn hwyrach pwy oedd ynddo ond Dr Harris yn chwyrnu'n braf ac nid oedd modd ei symud. Bu'n rhaid cysgu ar y llawr y noson honno. Drannoeth, cawsom frecwast, sef te a thost cyn cychwyn am adref. Dim ond tua hanner can ceiniog y pen a gostiodd y bwyd a tho dros ein pennau am y noson.

Rhoddodd chwarae rygbi yng Ngholeg y Brifysgol bleser mawr i mi. Deuthum i adnabod llawer iawn o bobl ar hyd a lled y wlad ac rwyf yn dal mewn cysylltiad â nifer ohonynt hyd heddiw.

Ciniawa

Un o'r eitemau mwyaf angenrheidiol i ddyn yn yr ysgol feddygol yw gwisg ffurfiol i giniawa. Prynai'r rhan fwyaf ohonom y siwtiau hyn yn ail-law, yn aml iawn o siopau Oxfam. Defnyddiem y siwt oddeutu hanner dwsin o weithiau mewn blwyddyn. Os nad oeddem yn berchen ar siwt addas roedd angen llogi un gan Moss Bros neu gwmni tebyg ac nid yw hynny'n rhad.

Achlysur mwyaf y flwyddyn yw'r Ddawns Feddygol. Yn ystod fy nhair blynedd gyntaf yn y Brifysgol, cynhelid y ddawns yn Undeb y Myfyrwyr. Gan fod rhai cannoedd yn dod i'r achlysur, ni yn unig oedd yn cael defnyddio'r adeilad y noson honno.

Yn ogystal â bwyta, roedd yna gryn dipyn i'w wneud. Fel arfer, byddai band jazz yn chwarae yno ac os nad oedd y band jazz yn plesio, roedd disco hefyd. Ceid stondinau tebyg i ffair yno, sipsi yn darllen ffortiwn, tombola, stondin taflu dartiau a stondin ceisio-ennill-cneuen-goco ac yn y blaen. Os byddai'r hen goesau'n dechrau blino ar ôl hyn i gyd, roedd sioe ffilmiau cartŵn yn mynd ymlaen drwy'r nos.

Fel arfer, byddai cwmni gwerthu diod fel Guinness neu Tia Maria yno gyda stondin arbennig yn gwerthu eu cynnyrch yn rhatach nag arfer. Hawdd gweld nad hon oedd noson fwyaf sobr y flwyddyn, a'r sioe yn mynd ymlaen tan oriau mân y bore. Yna, byddai angen cael tacsi adref, a phrin iawn yw'r rhain yn ystod oriau mân y bore gan fod cannoedd ohonom yn y ddawns eisiau mynd adref tua'r un pryd â nifer helaeth o bobl yn gadael y clybiau nos. Fwy nag unwaith bu'n rhaid i mi gerdded y tair milltir adref trwy ganol Toxteth a hithau'n dyddio.

Erbyn hyn, mae'r ddawns yn cael ei chynnal yng Ngwesty'r Adelphi. Er bod y lle wedi gweld dyddiau gwell, mae'n dal i fod yn eithaf moethus. Ar nosweithiau arbennig fel hyn, gostyngir pris ystafell am y noson a bu nifer ohonom yn treulio'r noson yno.

Roedd casino go fawr yng nghrombil yr Adelphi ond roedd yn rhaid bod yn aelod cyn cael mynd i mewn. Gan fy mod i ac amryw o'm ffrindiau yn aelodau, arferem fynd i lawr i'r casino am gyfnod yn ystod y ddawns. Brysiaf i ddweud nad er mwyn gamblo yr aem yno ond oherwydd fod y lle yn agored tan tua phedwar o'r gloch y bore a bod digonedd o goffi a brechdanau cig moch i'w cael yno yn rhad ac am ddim.

Roedd y casino yn agoriad llygad i mi. Os oeddem am chwarae rwlét, rhyw ychydig bunnoedd a fentrem rhag ofn colli. Sineaid oedd cwsmeriaid mwyaf y lle a gwelais â'm llygaid fy hun rai o'r rhain yn rhoi'r swm mwyaf posib (pum cant o bunnoedd yr adeg honno) ar un fet. Weithiau byddent yn ennill, ond yn amlach yn colli.

Yn y gaeaf y cynhelid y ddawns a dawns arall yn yr haf. Weithiau byddai hynny mewn gwesty, ond fy hoff fan i oedd mewn pabell enfawr ar dir clwb Coleg y Brifysgol yn Greenbank.

Noson bwysig arall oedd noson y Cinio Meddygol. Yn wahanol i'r Ddawns Feddygol, dynion yn unig oedd yn cael mynd i'r Cinio ac nid oedd croeso i ferched yr Ysgol Feddygol o gwbl yno y noson honno. Roedd gan y merched ryw fath o ginio eu hunain ond ar ddiwedd y noson roedd y dynion yn cael gwahoddiad i'r disco. Oes 'na olygfa waeth na dau gant o ferched swnllyd wedi meddwi? Credaf mai'r rheswm dros y gwahoddiad oedd i gael rhywrai cyfrifol i gario'r merched meddw gaib adref!

Noson y Cinio Meddygol, eisteddai tua dau neu dri chant o fyfyrwyr a meddygon i lawr am bryd mewn gwesty. Ar ôl y bwyd, byddai'r gŵr gwadd yn codi i siarad. Clywais rai areithiau da, ond ceid rhai gwael hefyd. Yr un waethaf a glywais oedd un arbenigwr mewn afiechydon merched o Stryd Harley, Llundain. Roedd mor feddw fel y cafodd drafferth enfawr i sefyll ar ei draed i ddechrau'r araith. Wrth gwrs, roedd siarad mwy na dau air yn ddealladwy allan o'r cwestiwn. Gan fod y rhan fwyaf o'r gynulleidfa wedi cynhesu â gwydraid neu ddau o win, erbyn hyn, nid oedd llawer o gydymdeimlad i'w gael. Cafodd pob darn o fara nad oedd wedi ei fwyta hefo'r cawl ei daflu ato yn ddiseremoni. Wnaeth o ddim gorffen ei araith y noson honno. . .

Ar ôl bwyta, byddai math arbennig o adloniant i ddynion wedi ei drefnu. Symudid cadeiriau er mwyn gwneud cylch go fawr a lle gwag ar ei ganol. Ar ôl i bawb eistedd i lawr a dechrau clapio dwylo yn araf deg ac aflonyddu, byddai merched (na fuasech yn mynd â nhw adref i gyfarfod eich nain am de) yn dod allan ar y llwyfan. Ychydig iawn o ddillad oedd ganddynt i ddechrau, ond byddent yn gwisgo llai fyth ar y diwedd. Cafodd Mudiad Rhyddhau Merched glywed am hyn a bu protestio mawr. Ar ôl y sioe byddai'r bar yn llenwi unwaith eto hyd ddiwedd y noson. Ar ôl hynny, byddai trefniant i fynd yn ôl i'r bar yn Rhif Chwech. Yn aml iawn byddai rhai o'r athrawon ac ymgynghorwyr yn dod yn ôl yno hefo ni, fel y seiciatrydd yr adroddais ei hanes yn gynharach.

Yn naturiol, roedd hwyliau braidd yn uchel ar nosweithiau fel hyn, gydag ambell i wydryn yn cael ei dorri ac ambell i fynsen yn cael ei thaflu. Ar yr ugeinfed o Dachwedd 1979, cynhaliwyd cinio rhif 135 yng ngwesty'r Holiday Inn. Aeth pethau dros ben llestri yno a bu'r hanes ym mhob papur dyddiol ac eithrio'r *Times* (ond gan gynnwys *Pravda*!) Roedd y rhestr o gyhuddiadau yn un hir. Bwyd wedi ei daflu o gwmpas; canhwyllbrenni arian a halen a phupur wedi eu dwyn; byrddau wedi eu rhoi ar dân; ffôn wedi ei dwyn; seddi'r toiledau wedi diflannu a thaflenni'r gwesty ar wasgar. Bu'n rhaid talu'r cyfan o'r £1000 a gafwyd fel bil. Nid oedd croeso i ni yno y flwyddyn wedyn ond mae'r cinio'n parhau i gael ei gynnal.

Dro arall, digwyddodd helynt o fath arall wrth y bar. Am ryw reswm daeth dau ddyn lleol a golwg eithaf blêr arnynt i mewn heb wahoddiad i'r cinio. Penderfynodd capten y tîm rygbi fynd i ofyn iddynt adael. Sgotyn eithaf 'tebol o Glasgow oedd hwn ond cafodd ychydig o fraw pan dynnodd un o'r dynion wn allan. O fewn munudau roedd y gwesty'n llawn o heddlu arfog gyda chŵn, ond roedd y dynion wedi diflannu.

Achlysur tebyg i'r Cinio Meddygol oedd Cinio'r Clwb Rygbi, ond wrth gwrs roedd llai o ddynion yno. Ar ôl y gêm draddodiadol rhwng myfyrwyr a meddygon yr arferid cynnal y cinio hwn. Noson sydd yn sefyll allan yn fy nghof yw noson y daeth ymgynghorwr meddygol am ginio hefo ni am mai fo oedd Llywydd Anrhydeddus y clwb rygbi. Câi'r enw o fod yn un oedd yn hoff o godi ei fys bach ac roedd yn amlwg wedi codi'r bys hwnnw nifer o weithiau cyn cyrraedd y cinio y noson honno.

Mae tuedd i chwaraewyr rygbi ganu caneuon braidd yn anweddus wrth yfed cwrw a rhai ohonynt yn ganeuon actol. Mae un o'r rhain yn cael ei chanu gydag un o'r chwaraewyr yn gorfod tynnu ei ddillad oddi amdano ac wrth gwrs, y rhai mwyaf tebygol o wneud hynny yw'r rhai mwyaf meddw. Y noson honno nid oedd neb gwell i wneud hynny na'r ymgynghorydd, a daliwyd yr olygfa anfarwol yma gan gamera un o'r hogiau.

Dim ond unwaith y bûm mewn Rolls Royce a hynny ar ôl Cinio'r Clwb Rygbi. Roedd gan un o'r hogiau dad

eithaf cyfoethog ac roedd wedi rhoi ei hen Rolls iddo. (Rhywbeth i'w wneud â threth incwm, medda fo!) Wel roedd y Rolls wedi dod i'r cinio. Wrth gwrs roedd yn rhaid cael mynd i lawr i'r 'Cabin' y noson honno ynddo. Roeddem yn edrych yn swanc iawn wrth i hanner dwsin ohonom mewn gwisg ffurfiol ddod allan o'r car y tu allan i'r lle.

Nos Sadwrn olaf tymor y Nadolig cynhelid cinio Nadolig yn Rhif Chwech. Gan fod un-ar-ddeg hogyn yn byw yno a phob un yn dod â merch, roedd yn rhaid darparu bwyd ar gyfer nifer go helaeth. Yr wythnos flaenorol byddai rhestr o anghenion yn cael ei wneud a phawb yn cyfrannu rhyw £25 o arian parod. Yna byddai'r rhai oedd yn gallu cymryd egwyl o'r Brifysgol yn mynd i lawr i Lerpwl i brynu'r ddau dwrci mwyaf ar gael yn ogystal â'r bwydydd angenrheidiol eraill.

Wrth gwrs, roedd yn rhaid i bawb gael anrheg Nadolig yn y cinio, a hyn yn cynnwys y merched, a phenderfynid pwy oedd i gael beth yn anrheg mewn cyfarfod arbennig, a phawb yn gorfod gadael yr ystafell bwyllgor yn eu tro. Trafodid cymeriad y person hwnnw cyn penderfynu ar anrheg addas iddo. Yna roedd pawb yn gyfrifol am brynu un anrheg. Ar y cyfan, roedd yr anrhegion yn ddefnyddiol iawn, yn enwedig rhai'r merched. Am ryw reswm, dillad isaf bychan ac annigonol a roddid iddynt hwy.

Ni ellid cynnal cinio Nadolig traddodiadol heb gael coeden Nadolig. Gan fod nenfwd uchel iawn yn yr ystafell bwyllgor, roedd angen coeden go fawr yno, ac o Barc Sefton yr oedd honno'n dod, fel arfer. Ar noson dywyll, ryw wythnos ymlaen llaw, byddai criw o'r hogiau yn mynd allan i'r parc a dewis coeden go siapus. Ar ôl ei thorri, fe fyddai'n cael ei llusgo adref a'i rhoi i fyny.

Penodid cogydd a chogydd cynorthwyol i fod yn gyfrifol am ddarparu'r bwyd. Y Nadolig cyntaf i mi fod yno, cefais y fraint o fod yn gogydd cynorthwyol. Mantais bod yn un o'r cogyddion oedd nad oedd raid plicio'r tatws, y moron, y sbrowts ac ati. Cyfrifoldeb y gweddill oedd hynny, yn ogystal â glanhau, a gosod y byrddau erbyn y cinio.

Ben bore'r cinio fe fyddai rhywun yn chwarae record Bing Crosby sef 'White Christmas' dros y tŷ. Y peth cyntaf oedd angen ei wneud oedd stwffio'r tyrcwn a'u rhoi yn y popty. Erbyn canol y prynhawn roedd popeth yn barod heblaw am goginio'r llysiau. Roedd hi'n dipyn o gamp cael popeth yn barod ar amser erbyn wyth o'r gloch. Byddai'r merched yn cyrraedd erbyn y derbyniad sieri am saith. Gan fod un-ar-ddeg ohonom eisiau bath yr un adeg, roedd dŵr poeth yn brin iawn i'r cogyddion, a hwy oedd y mwyaf prysur yr adeg hon o'r nos!

Byddai'r hen dŷ yn edrych yn dda iawn ar ôl ei lanhau erbyn yr achlysur a chanhwyllau a thân yn unig yn goleuo'r lle, y merched yn eu gwisgoedd gorau a'r dynion yn eu gwisgoedd ffurfiol du a gwyn.

Er mwyn i bawb gael mwynhau'r cinio, arferid cyflogi tair neu bedair o forynion neu weision i ddod â'r bwyd at y bwrdd ac i glirio a golchi'r llestri. Wrth gwrs, roedd yn rhaid i'r rhain wisgo fel petaent yn gweithio yn y Savoy. Ffrindiau oedd y rhain a'u tâl oedd cael hynny o fwyd a diod yr oeddent ei eisiau am ddim ac aros am weddill y noson.

Y fwydlen arferol oedd *patê* a thôst i ddechrau, yna cawl madarch, pupur gwyrdd a hufen i ddilyn. Yna y twrci a'r llysiau, y pwdin Nadolig, y caws a'r bisgedi ac yna pasio'r Port o gwmpas y bwrdd. Ar ôl gorffen bwyta, tuag un-ar-ddeg o'r gloch, byddai'r gwesteion eraill yn dechrau cyrraedd, yn cynnwys yr hen hogiau a arferai fyw yn y tŷ a ffrindiau eraill. Byddai'r noson yn diweddu gyda chanu o gwmpas y lle tân enfawr yn y neuadd. Fel arfer, byddem ni ac amryw o'r gwesteion eraill wedi darparu cân actol neu rywbeth tebyg fel adloniant. Gan mai ar nos Sadwrn olaf y tymor y cynhelid y cinio, byddai pawb yn dychwelyd gartref am y gwyliau drannoeth. Ar ôl noson go hwyr, nid oedd neb eisiau clirio'r llanast yn y tŷ a byddai'r lle yn cael ei adael yn y cyflwr hwn hyd ddechrau'r tymor newydd!

Arholiadau

Efallai fod y darllenydd o dan yr argraff, erbyn hyn, nad oes dim i'w wneud yn yr Ysgol Feddygol ond yfed, bwyta, chwarae rygbi ac ymweld â'r wardiau o bryd i'w gilydd. Ond mae'r rhan fwyaf o'r myfyrwyr yn gwneud rhywfaint o waith yn gyson oherwydd fod arholiad neu'i gilydd bob ychydig wythnosau ac mae angen dal ati'n gyson hefo'r darllen.

Cwestiynau aml-ddewis a osodid ar gyfer llawer o'r arholiadau, yn hytrach na thraethodau. Mae techneg arbennig i ateb y math hwn o arholiad oherwydd tynnir marciau am atebion anghywir. Un tro, roedd pump o'r bechgyn iau oedd yn byw yn Rhif Chwech yn gorfod sefyll arholiad eithaf pwysig fel hyn. Nid oedd unrhyw ddarparu wedi cael ei wneud a theimlent braidd yn euog y noson cyn yr arholiad. Daeth un o'r hogiau o hyd i bapur arholiad blaenorol yn y pwnc a phenderfynwyd mynd i'r afael ag o, rhag ofn i un neu ddau o'r cwestiynau ymddangos drachefn. Ar ôl bod trwyddo ddwywaith a gweithio allan yr atebion cywir, aeth pawb i'w wely'n hapusach.

Drannoeth, cafodd pob un ei syfrdanu wrth edrych ar y papur arholiad – yr union bapur yr oeddent wedi ei adolygu y noson cynt! Daeth y pump o Rif Chwech yn y chwech uchaf yn yr arholiad, gyda marciau o gwmpas nawdeg y cant, heb unrhyw drafferth. Roedd myfyriwr Sineaidd hefo nhw ar y brig oherwydd bod y rhain, fel arfer, yn gweithio'n galed iawn yn y Brifysgol.

Roedd amryw yn amheus iawn o'r canlyniad wrth weld

hogiau oedd yn arfer dod yn nes at y gwaelod ar frig y dosbarth!

Dull arall o arholi yw'r arholiad llafar, lle mae'r ymgeisydd yn gorfod wynebu'r arholwr. Mae amryw chwedlau am y rhain. Yr un a hoffaf fwyaf yw'r un am fyfyriwr yn mynd i sefyll arholiad llafar mewn patholeg a heb baratoi yn ddigon trylwyr. Y bore hwnnw, cyn mynd i'r arholiad, cafodd lythyr yn cyhoeddi fod perthynas iddo wedi marw, ac wedi gadael arian mawr iddo a'i galluogai i fyw heb orfod gweithio weddill ei oes. Aeth i mewn i wynebu'r arholwr, oedd yn athro dychrynllyd, heb ofn yn y byd. Gafaelodd yr athro mewn darn o gorff wedi ei biclo a'i roi i'r ymgeisydd a gofyn cwestiwn anodd iddo. Cyn iddo gael cyfle i ateb, dywedodd yr Athro: 'Byddwch yn ofalus beth rydych yn ei ddweud achos rydw i wedi methu pum ymgeisydd ar y darn yma o gorff yn barod y bore 'ma'. Edrychodd yr ymgeisydd arno am eiliad cyn dweud: 'Wel, tydach chi ddim am gael y cyfle i fethu mwy, yr hen ddiawl!' a gollyngodd y bocs gwydr yn cynnwys y rhan o gorff ar y llawr a'i wylio'n malu'n deilchion, cyn cerdded allan o'r arholiad a'r ysgol feddygol.

Math arall o arholiad yw un lle mae'r ymgeisydd yn gorfod mynd i weld ac archwilio claf o flaen yr arholwr. Mae techneg arbennig yn perthyn i hyn ac mae angen ymarfer parhaus i gyrraedd safon ddigon da i sefyll arholiadau terfynol yn llwyddiannus. Er mwyn cael cyfle i ymarfer, mae yna gyfarfod arbennig am bedwar o'r gloch bob pnawn Gwener a elwir yn 'syrcas'.

Mae pedwar neu bump o fyfyrwyr y flwyddyn olaf yn gorfod mynd i weld claf bob un am tuag awr, sef yr amser a roddir yn yr arholiadau terfynol i'r pwrpas. Yna mae'n rhaid i'r myfyriwr gael ei arholi gan Dr Ogilvie, Dr A. J. (Black Jack) Robertson a Dr McKendrick o dan amodau arholiad. Caiff unrhyw fyfyriwr ddod i weld y 'syrcas' ac fel arfer, mae cynulleidfa o tua chant a hanner yn gwylio.

Roedd Dr Ogilvie a Dr McKendrick yn eithaf caredig wrth yr ymgeiswyr, ond nid felly Dr Robertson – dyna sut y cafodd y llysenw 'Black Jack'. Roedd bob amser yn rhoi amser caled i bawb. Wrth gwrs, roedd hyn yn ymarfer da tuag at yr arholiadau terfynol gyda phawb yn dysgu wrth weld camgymeriadau eraill. Roedd pawb yn eu tro yn gorfod rhoi perfformans yn y 'syrcas'.

Yr un a ddechreuodd y 'syrcas' yn y lle cyntaf oedd cymeriad adnabyddus iawn, y diweddar Dr Baker-Bates. Roedd yn byw yn Stryd Rodney, sef y stryd oedd yn cyfateb yn Lerpwl i Stryd Harley. Ar ddiwedd eu cyfnod yn ei gwmni, byddai'n gwahodd y myfyrwyr yn ôl i'w dŷ am bryd o fwyd. Go debyg oedd y bwyd bob tro, hynny yw, cawl digon amheus wedi ei goginio mewn crochan mawr ar y tân. Roedd yn byw ar ei ben ei hun ac roedd arno ofn mawr i ladron dorri i mewn i'w dŷ. Felly yr oedd dewis da o arfau o'i gwmpas yno, sef gynnau a bwyeill. Druan o unrhyw un a ddaliai yn torri i mewn!

Arferai Dr Baker-Bates yrru Rolls Royce mawr a mynd â myfyrwyr o gwmpas yr ysbytai ynddo. Nid oedd ei ddawn i yrru cystal â'i ddawn mewn meddyginiaeth. Ni choeliai mewn ufuddhau i oleuadau traffig. Gyrrai drwyddynt gan weiddi: *'He who hesitates is lost!'*

Roedd yn dal yn ei waith yn ei wythdegau a chefais y fraint o gael cinio yn ei gwmni un noson yn Neuadd Derby. Cadwodd griw ohonom yn ddifyr gan ein diddori â hanesion hyd oriau mân y bore. Roedd yn hoffi codi bys bach bob hyn a hyn a dywedodd ei hanes un noson pan gafodd ei atal gan yr heddlu ar ôl cael boliad o ddiod. Plismon eithaf newydd a'i hataliodd oherwydd doedd o yn amlwg ddim yn adnabod Dr Baker-Bates. Oherwydd fod arogl diod arno, roedd yn rhaid rhoi'r prawf anadl iddo ac wrth gwrs, methodd. Y cam nesaf oedd cael meddyg i dynnu gwaed neu i roi sampl o ddŵr. Y troseddwr oedd yn dewis pa un, a dewis rhoi gwaed a wnaeth Dr Baker-Bates.

Gofynnwyd iddo fynd i orsaf yr heddlu a bu'n rhaid ei roi mewn cell tra oedd meddyg yr heddlu yn cael ei alw i dynnu gwaed oddi wrtho. Eisteddodd Dr Baker-Bates yno yn ddistaw am oriau cyn i'r heddwas ddod yn ôl a dweud: 'Wel, mae'n rhaid i mi eich rhyddhau oherwydd fedra i ddim cael gafael ar feddyg yr heddlu'.

'Dydi hynny ddim yn fy synnu i o gwbl,' meddai Dr Baker-Bates, gan chwerthin: 'Fi ydi meddyg yr heddlu, yr un rydach chi wedi bod yn chwilio amdano!'

Wrth agosáu at yr arholiad terfynol, trefnem diwtorials ein hunain a chael cofrestrwyr yr oeddem yn eu hadnabod i'n harholi yn y dechneg angenrheidiol. Roeddwn yn arfer mynd at gofrestrydd yn Ysbyty Broadgreen, ac un diwrnod anfonodd bedwar ohonom i weld gwahanol gleifion cyn iddo'n harholi ar bob un. Euthum i weld fy nghlaf. Er mawr syndod imi, pwy oedd yn gorwedd yn y gwely ond un o'm hen athrawon! Teimlad rhyfedd iawn oedd ei archwilio ac roedd yn anodd iawn anghofio'r sefyllfa: yntau'n athro a finnau'n ddisgybl. Bellach, fel arall roedd hi!

Cyn sefyll arholiadau terfynol Coleg y Brifysgol, roedd yn bosib pasio fel meddyg rai misoedd yn gynt drwy fynd i Lundain i sefyll arholiad 'Conjoint' fel y'i gelwid. Penderfynodd criw ohonom wneud hynny. Er bod y gost yn uchel, roedd yn bosib gweithio fel dirprwy am dâl llawn pe byddem yn llwyddiannus. Mantais yr arholiad yma oedd ei fod mewn tair rhan, sef meddygaeth, llawfeddyg-aeth, obstetreg ac afiechydon merched. Nid oedd raid eistedd y tair rhan yr un amser ac felly nid oedd angen darparu mor drwyadl ac a wneid ar gyfer arholiadau terfynol Lerpwl lle arholir y myfyrwyr yn y tri phwnc yr yr un pryd.

Ddiwedd y bedwaredd flwyddyn, yn ystod yr haf, y sefais arholiad obstetreg ac afiechydon merched. I lawr â fi ar y trên i Euston. Arferwn aros gyda ffrindiau o Gymry yno y noson gynt. Yna fe fyddwn yn dal y trên tanddaearol i Queen's Square lle cynhelid yr arholiad ysgrifenedig. Yn yr union fan yma y cafodd rhan o ffilmiau y gyfrol 'Meddyg' gan Richard Gordon eu cynhyrchu.

Ar ôl sefyll yr arholiad ysgrifenedig, byddai pawb yn tyrru i dafarn y 'Sun' dros y ffordd i Ysbyty Great Ormond Street. Roedd dewis bendigedig o wahanol gwrw hen ffasiwn *(real ale)* yno. Uwchben y bar roedd llathen o gwrw yn hongian gydag enw'r sawl a yfodd ei llond o gwrw yn yr amser cyflymaf. Bob tro y bûm yno, enw meddyg o'r ysbyty gyfagos oedd i fyny yno. Roedd hi hefyd yn bosib cael cwrw i'w gario allan oddi yno mewn poteli plastig i hwyluso'r daith hir yn ôl i orsaf Lime Street.

Ryw wythnos ar ôl yr arholiad ysgrifenedig byddai'n rhaid mynd i lawr am yr ail ran sef arholiad llafar ac arholiad clinigol. Mae'n rhaid dweud fod awyrgylch eithaf hamddenol i'r rhan hon o'r arholiad, gyda dau arholwr. Tra oedd un yn gofyn cwestiynau roedd y llall yn gwrando ac yn gwneud nodiadau. Pan ddaeth fy nhro i, rhyw feddyg a ofynnai gwestiynau i mi. Dynes fawr dew oedd yr arholwraig arall na wnaeth ddim byd ond bwyta teisen hufen fawr ac yfed te yn swnllyd gydol yr arholiad.

Byddai'r canlyniadau'n cael eu cyhoeddi y noson honno. Nid oedd fawr o seremoni ynglŷn â hyn, chwaith. I lawr yn nyfnderoedd y seler yr oedd y man cyfarfod. Yna byddai ysgrifenyddes yn dod a sefyll ar waelod y grisiau ac anferth o lyfr mawr ganddi. Galwai rif arholiad pob un ohonom allan yn ei dro ac yna dweud fod yr ymgeisydd naill ai'n llwyddiannus neu'n

aflwyddiannus. Pe bai'n llwyddiannus, byddai'r ymgeisydd yn cael mynd i fyny'r grisiau i gael ei longyfarch gan yr arholwyr. Pe bai wedi methu, doedd dim amdani ond mynd adref yn ddistaw.

Y rhan nesaf a sefais oedd yr arholiad mewn meddygaeth. Ar ddechrau Ionawr y cynhelid hon a bu'n rhaid i mi a chyfaill ddychwelyd i Lerpwl yn gynnar ar ôl gwyliau'r Nadolig i ddarparu ar ei chyfer a threulio'r flwyddyn newydd yno. Oherwydd inni baratoi yn eithaf da, aethom i dŷ cyfeillion i ddathlu dyfodiad y flwyddyn newydd.

Mewn tŷ tebyg iawn i Rif Chwech yr oedd y parti, sef Rhif Un, Mossley Hill Drive. Gan fod digon o le yno, fe benderfynwyd cynnal dawns Ceili oherwydd fod carfan gref o Wyddelod yn Lerpwl a Gwyddel oedd trefnydd y parti. Roedd hwnnw'n adnabod band Ceili go iawn ac fe drefnwyd iddynt ddod i chwarae yn y parti.

Cwpwl mewn oed a'u mab canol oed oedd y band, y fam yn chwarae'r piano, y tad y ffidil a'r mab yr acordion. Roeddent yn dda iawn, chwarae teg. Bob hyn a hyn roedd yn rhaid iddynt gael seibiant i yfed cwpaned o de am nad oeddent yn yfed diod feddwol o gwbl yn wahanol iawn i'r rhan fwyaf o Wyddelod a welais yn Lerpwl! Un tro cefais wahoddiad i'r Ganolfan Wyddelig yng nghanol Lerpwl ac nid oedd un sobr i'w weld yno, a'r Guinness yn mynd i lawr fel dŵr. Roedd band Ceili yno hefyd, yn ogystal â chanwr oedd yn canu dim ond caneuon yr IRA . . .

Roeddwn wedi paratoi'n drylwyr ar gyfer yr arholiad, a chredwn mai'r unig beth allai fod yn faen tramgwydd imi fuasai claf na allai siarad Saesneg. Dyna yn union ddigwyddodd! Euthum at fy nghlaf a darganfod ei bod yn eneth ieuanc o Fietnam na allai air o Saesneg. Roeddwn yn teimlo fel milfeddyg, a'r unig beth a fedrais

105

ei wneud oedd ei harchwilio. Serch hynny, fe lwyddais.

Gan fy mod wedi llwyddo mewn dwy ran allan o dair o'r arholiad roedd y teitl 'Dr Jones' yn dechrau swnio'n reit felys. Felly bûm yn gweithio'n go galed yn ystod misoedd cyntaf 1982, yn astudio llawfeddygaeth. Yna ym mis Mawrth, draw i Lundain â mi gyda'r hogiau eraill oedd yn gwneud yr un peth.

Yn Queen's Square yr oedd yr arholiad ysgrifenedig a'r arholiad clinigol, lle'r oedd yn rhaid inni archwilio cleifion. Yng Ngholeg Llawfeddygon Lloegr yn Lincoln's Inn Field y cynhelid yr arholiad llafar, y rhan olaf un yn y prynhawn. Credwn fy mod wedi gwneud yn eithaf da yn yr arholiad ac roeddwn yn awyddus iawn i gael y canlyniadau, a fyddai ar achlysuron fel hyn ryw awr yn hwyr yn cael eu cyhoeddi.

Byddai'r ymgeiswyr yn cyfarfod yng Ngholeg y Llawfeddygon o flaen cerflun John Hunter, y dyn a sefydlodd lawfeddygaeth fel gwyddoniaeth yn y ddeunawfed ganrif. Yna, byddai swyddog o'r coleg yn dod draw yn ei wisg swyddogol a sefyll ar arfbais y coleg o flaen y cerflun, i ddarllen rhifau'r ymgeiswyr llwyddiannus allan o lyfr mawr. Os yn llwyddiannus, byddai'r meddyg newydd sbon yn cael mynd i ystafell yr arholwyr i gael gwydraid o sieri gyda nhw ac yn wir, fe gefais y fraint honno . . .

Ar ôl llwyddo, cefais y llythrennau L.R.C.P. (Trwyddedig o Goleg Brenhinol y Meddygon yn Llundain) ac M.R.C.S. (Aelod o Goleg Brenhinol Llawfeddygon Lloegr), ac ychydig fisoedd yn ddiweddarach cefais fynd i'r seremoni raddio yng Ngholeg y Llawfeddygon.

Yna, cefais seibiant gartref yng Nghaernarfon. Roedd Paul Lunn yn digwydd bod gartref yr un amser ac aethom am dro i fyny Grib Goch ac i ben Yr Wyddfa, fel amryw o rai eraill oedd yn cerdded y prynhawn hwnnw. Cofiaf eistedd yn sgwrsio hefo un dyn ar ben Crib Goch. 'Mae hi mor ddistaw yma pe buasai rhyfel yn bod, 'fuasem ni ddim yn gwybod dim am y peth,' meddai. Ar ôl dychwelyd adref, clywsom ar y newyddion fod rhyfel y Falklands wedi dechrau.

Er bod arholiadau terfynol Coleg y Brifysgol Lerpwl i'w sefyll yn yr haf, roedd y pwysau wedi mynd, ac eithaf hamddenol oedd yr adolygu wedyn. Aeth yr arholiadau terfynol yn reit dda. Ddiwrnod olaf yr arholiadau, roedd perchennog tŷ tafarn cyfagos wedi darparu bwyd i ni. Nid oedd sôn am amser cau yn y lle yma a phe byddai'r perchennog eisiau egwyl i wneud rhywbeth, byddai'n fodlon gadael i un o'r myfyrwyr ofalu am y lle am ychydig oriau nes iddo ddychwelyd.

Diwrnod heulog o haf oedd hi, ddiwrnod y canlyniadau a'r rheini i'w cyhoeddi am bump o'r gloch. Penderfynodd pump ohonom mai'r ffordd orau i dreulio'r dydd fyddai mynd i lan y môr, felly i ffwrdd â ni yn y modur a gefais rai misoedd yn gynt (cyn hynny, beic oedd fy nghludiant) a mynd i Fae Trearddur yn Sir Fôn a dychwelyd i Lerpwl erbyn pump o'r gloch.

Roedd cynnwrf mawr wrth ddisgwyl y canlyniadau. Bu'r rhan fwyaf ohonom yn llwyddiannus, yn graddio yn MB ChB, sef Baglor mewn Meddygaeth a Baglor mewn Llawfeddygaeth. Bu dathlu mawr y noson honno wrth gwrs, ond roedd y noson wedi ei suro am fod nifer o ffrindiau wedi methu.

Felly daeth fy nghyfnod fel myfyriwr i ben ar ôl pum mlynedd. Efallai fod rhai o'r darllenwyr yn meddwl fod hwn yn gyfnod hir iawn i fod yn fyfyriwr ac felly y teimlwn innau ar ddechrau'r cwrs. Ddiwedd fy nhrydedd flwyddyn roedd amryw o'm ffrindiau ar gyrsiau gradd arferol yn gadael Colegau'r Brifysgol. Am fy mod yn cael amser mor dda, nid oeddwn i'n barod i adael yr adeg honno ac yn falch fod dwy flynedd arall gennyf yno! Ond ar ôl pum mlynedd, roedd yn amser gadael ac ennill bywoliaeth. Roedd yn rhaid codi i weithio o hyn ymlaen yn hytrach nag aros yn y gwely os nad oedd arnaf awydd codi!

Amrywiol

Mae amryw ddigwyddiadau yr hoffwn sôn amdanynt nad ydynt yn disgyn i faes unrhyw bennod arbennig.

Er bod Rhif Chwech mewn rhan eithaf deniadol o Lerpwl ar ymyl Parc Sefton, roedd hefyd ar gyrion Toxteth. Rhan dlawd iawn yw Toxteth gyda'r rhan fwyaf o'r bobl yn ddu ac yn ddi-waith. Ymysg y tlodi, roedd troseddu yn ddigwyddiad beunyddiol. Er i mi gerdded adref drwy'r ardal nifer o weithiau yn oriau mân y bore ar ôl methu cael tacsi, gwyddwn nad oedd yn beth doeth a bu'n rhaid sicrhau diogelwch drwy fynd yn griw.

Yn ystod haf 1981 aeth pethau'n wyllt yn Toxteth a bu terfysg mawr ar hyd y strydoedd. Roedd Rhif Chwech yn eithaf agos at y digwyddiadau hyn. Gerllaw y tŷ roedd fflatiau go uchel a chan ei bod yn bosib gwrando ar yr heddlu ar donfedd uchel iawn y radio, gwyddem beth oedd yn mynd ymlaen yn ystod y cyfnod terfysglyd hwn. Os byddai cynnwrf yn agos, byddem yn mynd i ben y fflatiau i edrych o gwmpas. Ar adegau, roedd hi'n bosib gweld tai yn llosgi o'n cwmpas a chlywed gweiddi'r dorf.

Cofiaf ddod adref tua chwech o'r gloch un noson ar hyd Lôn Smithdown. Roedd hon yn lôn brysur iawn, fel arfer, ond nid felly y noson honno. Fi oedd yr unig un yn gyrru ar hyd-ddi. Roedd amryw foduron eraill ar ochr y ffordd wedi eu llosgi ac yng nghanol y ffordd gorweddai cerrig a llanast a daflwyd yn ystod terfysg y noson gynt. Ar gorneli'r strydoedd roedd nifer o lanciau ieuanc, yn ddu ac yn wyn. Nid oedd yr heddlu i'w gweld yn unman. Roedd y tyndra'n deimladwy. Rhoddais fy nhroed i lawr ar y sbardun a mynd ar wîb nes cyrraedd Rhif Chwech!

Bu'n rhaid cael heddlu ychwanegol yn y ddinas i ddelio â'r helyntion, a rhai ohonynt yn lletya yn neuaddau'r Brifysgol am fod y rhan fwyaf o'r myfyrwyr ar eu gwyliau. Ambell i noson, pe bai pethau'n ddistaw, byddai rhai o'r heddlu yn mynd am beint i ymlacio i glwb neilltuol. A chan fod hogiau Rhif Chwech yn defnyddio'r lle hefyd, cawsom gyfle i siarad â rhai o'r heddlu.

Yn ogystal â chael newyddion am yr hyn oedd yn mynd ymlaen yn Toxteth, daethom i wybod ychydig am yr heddlu hefyd. Roedd rhai ohonynt yn arfer bod yn blismyn cefn gwlad, rhai ohonynt o Gymru, a rhai heb wneud dim byd mwy peryglus na reidio ar gefn beic ers blynyddoedd. Yn naturiol, roedd y ffaith fod nifer fawr o'r heddlu yn yr Ysbyty Frenhinol wedi eu hanafu yn peri poen meddwl mawr iddynt.

Cyfarfûm â chriw hollol wahanol yn Greenbank, dro arall. Roedd pawb yn y tŷ wedi mynd i ffwrdd ar eu gwyliau heblaw Shaun a fi. Y prynhawn hwnnw buom yn gwylio'r gêm rygbi ryngwladol rhwng Cymru a Tonga. Fe sgoriodd y prop o Tonga gais arbennig o dda yn ein tyb ni ac aethom allan i Greenbank i ddathlu.

Roedd tymhorau'r Ysgol Feddygol yn hirach na thymhorau adrannau eraill Coleg y Brifysgol, a cheid cyfnodau lle'r oedd y myfyrwyr meddygol ar eu pennau eu hunain. Felly yr oedd hi yr adeg yma. Yn ystod y gwyliau, fel hyn, roedd rhai o'r neuaddau'n cael eu llogi i gynnal cyfarfodydd a chynadleddau. Y penwythnos hwn yr oedd cynhadledd ryngwladol o gantorion siop dorri gwallt (Barbershop Singers) yn Greenbank. Shaun a minnau oedd yr unig estroniaid yno y noson honno, a chawsom sgwrs â rhai ohonynt. Dechreuodd rhai ohonynt ganu yn ystod y noson, a Shaun a minnau'n gwrando arnynt. Roedd rhai wedi meddwl mai cantorion oeddem ac yn rhan o'r gynhadledd, nes ar ddiwedd y noson, cawsom wahoddiad i fynd yn ôl gyda'r cantorion i'r neuadd. Meddyliodd Shaun a minnau fod parti ar y gorwel ac ni fynnem wrthod cynnig felly ar unrhyw gyfrif.

Ar ôl cyrraedd y neuadd, cyhoeddodd rhywun fod yn rhaid i bawb ganu yn eu tro mewn grwpiau, yn adloniant i bawb arall. Edrychodd Shaun a minnau ar ein gilydd. Cawsom ein rhoi gyda dau ganwr arall i wneud pedwarawd. Yn ogystal â'r ffaith na fedrem ganu, doedd gan y ddau ohonom ddim syniad am eiriau'r caneuon oedd yn cael eu canu. Felly bu'n rhaid hymian ein ffordd drwy'r rhain yn ymwybodol iawn ein bod yn swnio yn hollol allan o diwn. Roedd y gêm i fyny. Sylweddolwyd nad oeddem i fod yno a gofynnwyd i ni adael.

Yn fuan ar ôl hynny daeth Shaun adref un prynhawn yn llaes ei wep. Cyhoeddodd ei fod wedi cael ei yrru adref o diwtorial mewn gwarth. Yr adeg honno, roedd yn astudio afiechydon yr henoed yn yr Ysbyty Frenhinol. Yn aml iawn mae nifer o broblemau gan yr henoed, ac nid oedd pob un ohonynt yn broblem feddygol. Er mwyn ystyried pob agwedd, roedd yn draddodiad cynnal cyfarfod i drafod y cleifion. Yn ogystal â meddygon, roedd nyrsys, ffisiotherapyddion, therapyddion gwaith *(occupational therapists)*, gweithwyr cymdeithasol ac wrth gwrs, fyfyrwyr meddygol yn dod i'r cyfarfodydd hyn.

Gyda nifer fawr fel hyn o bobl, a phob un yn dymuno rhoi barn am bob claf, tueddai'r cyfarfodydd i fynd yn faith. Dynes eithaf sych oedd y meddyg oedd yn gofalu

111

am y cyfarfod y prynhawn hwnnw, ac ar ôl rhai oriau mewn ystafell boeth, dechreuodd rhai o'r myfyrwyr 'laru.

Roedd Shaun yno ac am ryw reswm, roedd ganddo bêl denis bwrdd a chyllell boced. I'w ddiddori ei hun, torrodd y bêl yn ei hanner a lliwio'r ddwy ran fel dau lygad mawr â'r gwythiennau'n dangos yng ngwyn y llygaid. Rhoddodd hwy dros ei lygaid nes edrych yn bur ddoniol.

Er bod pawb yn eistedd o amgylch un bwrdd mawr, roedd yn bosib i Shaun guddio y tu ôl i ysgwydd ei gymydog a syllu â'i lygaid newydd ar nifer weddol fechan o'r garfan heb i'r lleill wybod beth oedd yn digwydd. Cafodd hwyl am rai munudau yn peri i rai o'r nyrsys ledchwerthin. Roedd y rheini'n falch o gael rhywbeth i'w diddori mewn cyfarfod mor ddiflas. Yna, cafodd Shaun ei ddal gan y ddynes sych oedd yn rhedeg y sioe, a dyna ddiwedd ar ei gampau!

Tra yn gwylio'r teledu yn Rhif Chwech un noson, daeth y rhaglen 'Sale of the Century' ymlaen. Nid oedd y rhan fwyaf o'r hogiau yn meddwl fod safon y cystadleuwyr yn uchel iawn. Ymhlith rhai sylwadau cellweirus, soniais y buasai'n bosib i un ohonom ni fynd ar y rhaglen ac ennill, os oedd y safon mor isel. Cefais sialens gan un ohonynt i mi ymgeisio, felly ysgrifennais at gwmni Teledu Anglia a chefais lythyr yn ôl yn fuan iawn yn fy ngwahodd i fynd i Fanceinion am brawf. Wel, dyna gynnwrf mewn tŷ! Roedd yr hogiau wedi dechrau gwneud trefniadau cyn pen yr awr i fynd i weld y rhaglen yn fyw yn y stiwdio ar ôl i mi lwyddo yn y prawf!

Ar fy mhen fy hun yr euthum yno. Cynhaliwyd y prawf mewn gwesty mawr, gyda nifer fawr o bobl yn ymgeisio. Eglurodd y dyn y byddem yn cael ein rhannu'n grwpiau o dri ac yna cynhelid cystadleuaeth

rhwng y tri yn union fel yr un ar y teledu. Dim ond yr
enillydd oedd yn cael y siawns i fynd ar y rhaglen. Pan
ddaeth fy nhro, cefais fy rhoi gyda dynes ganol oed a dyn
mawr tew. Profiad chwerw oedd darganfod nad yw
cystadlu fel hyn mor hawdd â hynny! Yn ail i'r dyn tew
y deuthum y diwrnod hwnnw ac fe wnaeth yn eithaf da
pan ymddangosodd ar y rhaglen deledu. Ces dynnu fy

nghoes yn ddidrugaredd gan yr hogiau am fod yn fethiant ar y fath raglen!

Ar ôl i ladron dorri i mewn i Rif Chwech (unwaith eto), bu'n rhaid galw'r heddlu. Daeth criw o dditectifs draw i gael y manylion. Cawsom wybod yn blaen nad oedd llawer o obaith darganfod pwy oedd wedi cyflawni'r drosedd a dod o hyd i'r pethau oedd wedi eu dwyn. Roedd y rhan fwyaf o'r pethau a gafodd eu dwyn wedi eu hyswirio ac felly nid oedd yn golled ariannol. Ond roedd ambell i waled oedd wedi cael ei dwyn yn cynnwys cerdyn aelodaeth clwb y 'Cabin'. Roedd y rhain yn anodd iawn i'w cael yn y lle cyntaf a'r golled yn bygwth bywyd cymdeithasol y rhai oedd wedi eu colli. Soniwyd am hyn wrth un o'r heddlu – yr un iawn, fel roedd hi'n digwydd, oherwydd ei fod yn gyfaill i'r dyn oedd yn rhedeg y lle ac ysgrifennodd lythyr yn sôn am yr amgylchiadau anffodus. Chwarae teg iddo, cafwyd cardiau newydd heb drafferth.

Dro arall, eto yn ein tŷ ni, dangosodd aelod o'r heddlu ei ddawn fel consuriwr. Ar ôl gorffen eu hymholiadau ynglŷn â lladrad arall, cynigiwyd diod iddynt. Wrth yfed, estynnodd un heddwas ei fraich o dan y bar a gweiddi ei fod wedi darganfod cyffuriau. Yn wir, roedd pecyn bach yn ei law. Aeth pawb yn ddistaw a dechrau swatio. Ar hynny, dechreuodd yr heddwas chwerthin a chyhoeddi fod y ddawn hon wedi bod o fantais iddo ddod â chyhuddiadau yn erbyn pobl, o dro i dro. Rhaid dweud nad oedd pawb yn gweld y jôc!

Drwy chwarae pêl-droed yn erbyn yr heddlu, roedd nifer o'r myfyrwyr a'r meddygon yn gyfeillgar â rhai ohonynt. Cyn i mi fynd i Goleg y Brifysgol fe drefnwyd cyfarfodydd rhwng y rhain gyda'r bwriad o ddangos rhai o'r ffilmiau anweddus yr oedd yr heddlu wedi eu hatafaelu, i'r hogiau. Roedd enw arbennig ar y cyfarfodydd hyn i'w gwarchod rhag amheuaeth, sef Parti Tupperware.

Yn ogystal â dangos ffilmiau, roedd yna ddynes oedd yn awyddus i dynnu'i dillad. Fel rhan o'r sioe, roedd yn rhaid iddi gael rhywun i ddod i ben y llwyfan ati. Gellwch fentro fod angen rhywun go ddewr i fynd i sefyll o flaen cynulleidfa i wneud y fath beth. Yn anffodus, rhoddwyd myfyriwr ieuanc (nad wyf am ei enwi!) i eistedd yn fwriadol yn bur agos at y tu blaen ac roedd y ddynes yn gwybod yn iawn pwy i'w dynnu i fyny i ben llwyfan ac yntau'n chwysu a phrotestio'i wyryfdod!

Meddyg Tŷ

Yn ystod ein cyfnod fel myfyrwyr, caem yn naturiol weld gwahanol ysbytai yr ardal. Weithiau byddai'r argraff mor ffafriol fel bod ar rywun awydd gweithio yn y lle ar ôl graddio fel Meddyg Tŷ. Er bod ffurflenni arbennig i'w llenwi i'r pwrpas, mewn ffordd answyddogol iawn y rhennid y swyddi hyn. Ni wneid cyfrinach o hyn ac roedd darlith arbennig ar y pwnc gan un ymgynghorydd. Wrth gwrs, roedd rhai myfyrwyr yn cyddynnu'n well â rhai ymgynghorwyr na'r lleill. Ryw dro yn ystod ei flwyddyn olaf fel myfyriwr byddai pawb yn mynd i drafod swyddi gyda phobl yr oeddynt yn awyddus i gael gweithio iddynt. Roedd yna elfen o gystadleuaeth yn hyn, ac nid pawb oedd yn cael eu plesio, ond ar y cyfan, roedd yn ffordd foddhaol gan y rhan fwyaf ohonom.

I Ysbyty Whiston yn Prescot roeddwn i ac amryw o'm ffrindiau eisiau mynd. Yn hytrach na mynd i'r ysbyty i drafod y peth, cefais gyfle anarferol i siarad â rhai o'r ymgynghorwyr. Soniais o'r blaen ei bod yn arferiad mynd â'r meddygon allan ar derfyn cyfnod o fod gyda nhw yn astudio eu pwnc. Roedd rhai o'r hogiau ieuengaf yn Rhif Chwech newydd orffen cyfnod yn astudio Meddygaeth yn Whiston. Yn hytrach na mynd allan am bryd o fwyd, penderfynwyd cael gwledd yn Rhif Chwech.

Bu'r hogiau wrthi am ddyddiau'n glanhau'r tŷ ac yna fe gytunodd merch a oedd yn gogyddes dda y byddai'n darparu'r bwyd iddynt. Gofynnodd un o'r hogiau i mi a fuaswn yn hoffi bod yn un o'r gweinyddion. Cytunais, a gwisgo i fyny yn fy ngwisg ffurfiol unwaith eto. Felly cefais gyfle i gyfarfod â rhai o'r ymgynghorwyr mewn ffordd answyddogol iawn! Ar ôl y pryd bwyd cafodd y gogyddes a'r gweinyddion wahoddiad i ymuno â'r gwesteion am wydraid o win. Yn ystod y sgwrs gofynnwyd ym mhle'r oeddwn yn bwriadu gweithio ar ôl graddio. A dyna sut y bu i mi gael swydd yn Whiston!

Roedd yn rhaid mynd am gyfweliad, wrth gwrs. Yn anffodus, roedd y cyfweliad i fod ar y diwrnod pan oeddwn i a dau arall yn sefyll ein harholiadau yn Llundain. Chwarae teg i'r ysbyty, cawsom ein tri gyfweliad arbennig ar ein pennau ein hunain, wythnos cyn y gweddill er na chawsom wybod a oeddem wedi bod yn llwyddiannus. Ar ôl llwyddo yn yr arholiad yn Llundain, ffoniais y tŷ i roi'r newyddion i'r hogiau a chefais wybod fy mod wedi cael y swydd yn Whiston hefyd. Felly roedd dau beth i'w ddathlu y noson honno!

Ddydd Sul cyntaf Awst, 1982, dechreuais weithio fel meddyg tŷ yn Adran Llawfeddygaeth Whiston. Daeth y cofrestrydd i'm cyfarch y bore hwnnw ac ar ôl gweld y cleifion aeth gartref, gan fod popeth yn dawel yn yr ysbyty. Ganol y prynhawn, cefais fy ngalwad gyntaf gan feddyg teulu yn dweud fod ganddo ŵr canol oed nad oedd yn gallu dal ei ddŵr a gofynnodd i mi ei weld. Ar ôl i'r claf gyrraedd, ac imi ei archwilio, gwelais fy mod yn gorfod delio â phroblem nad oedd pum mlynedd yn yr ysgol feddygol wedi fy narparu ar ei chyfer.

Am ryw reswm na wyddai neb ond y claf, roedd wedi medru gwthio piben blastig sydd o gwmpas gwifren drydan i mewn i ran anarferol iawn o'i gorff. Roedd hon wedi croesi ar draws y sffincter sydd yn cadw'r dŵr yn y chwysigen ac felly nid oedd unrhyw beth i arbed y dŵr rhag dod allan drwy'r adeg. Nid oedd syniad gennyf sut i'w chael oddi yno a bu'n rhaid galw'r cofrestrydd, er mwyn ei thynnu o dan anaesthetig.

Roedd dau Lawfeddyg Tŷ ar ddyletswydd bob dydd. Byddai un yn delio â chleifion newydd yn unig, sef y rhai a fyddai'n dod i mewn ar frys a gallai gael ei alw unrhyw amser. Byddai'r ail yn delio â phroblemau'r cleifion oedd ar y wardiau eisoes ac yn cael mynd i'w wely am hanner nos. Y llall oedd i fod i ddelio ag unrhyw broblemau ar ôl hynny. Arhosai dau feddyg gyda'i gilydd drwy'r cyfnod o chwe mis.

Mewn rhai gwledydd fel yr Eidal, Sbaen a'r Almaen mae addysg feddygol yn ddamcaniaethol iawn a phrin iawn yw'r agwedd ymarferol. Ym Mhrydain Fawr mae yna bwyslais ar yr ochr ymarferol fel bod Meddyg Tŷ newydd yn gallu gwneud amryw bethau fel rhoi catheter yn y chwysigen neu roi drip i'r cleifion.

Fy mhartner i am y chwe mis cyntaf oedd Naill, sef Gwyddel o Lerpwl a oedd wedi mynd i Ddulyn i astudio Meddygaeth, ac yn amlwg ddigon, nid oedd gormod o bwyslais ar yr ochr ymarferol yn Nulyn! Amryw weithiau yn ystod y penwythnos cyntaf cefais fy ngalw gan Naill i roi drip i'w gleifion am ei fod wedi methu. Meddyliais yn sydyn beth fuasai'n digwydd pe bai'n rhaid iddo roi drip i glaf yn oriau mân y bore a minnau wedi mynd i'm gwely, a buan iawn y dysgais iddo sut i wneud y gwaith!

Daeth pedwar claf i mewn y penwythnos cyntaf hwnnw gyda llid y coluddyn *(appendicitis)*. Erbyn hyn roeddwn wedi penderfynu mai llawfeddyg fyddwn i felly roeddwn eisiau cael hynny o brofiad fedrwn i. Credwn mai gwaith gweddol hawdd oedd tynnu'r coluddyn allan a gofynnais i'r cofrestrydd a fuaswn i'n cael gwneud hynny y tro nesaf, ar ôl ei gynorthwyo gyda'r tri cyntaf. Cytunodd, ac mae'n dda gen i ddweud fod y claf wedi byw.

Roedd tri ohonom yn gweithio gyda'n gilydd yn ystod y dydd. Yr ymgynghorydd oedd Mr Johnson. Roedd yn fodlon i mi gael gwneud llawer o lawdriniaethau fy hun o dan ei arweiniad ef neu'r cofrestrydd a chefais brofiad da iawn yn ystod y cyfnod hwn. Hyd heddiw, nid wyf yn gwybod enw iawn y cofrestrydd, ond fel Paddy Mohammed yr adwaenid ef gan bawb yn yr ysbyty, gan gynnwys yr ymgynghorwyr. O Bakistan yr oedd ei nain a'i daid yn dod, felly mae'n hawdd deall yr enw Mohammed. Er bod ei groen yn dywyll iawn, yn Glasgow y cafodd ei fagu a mynd i'r Brifysgol. Siaradai ag acen Albanaidd gref iawn a phe buasech yn siarad ar y ffôn â fo fe gredech mai Albanwr ydoedd. Am fod y gymysgedd mor anarferol, penderfynodd rhywun ei alw'n Paddy er mwyn gwneud pethau'n waeth!

Roedd pedwar ar ddeg ohonom yn Feddygon Tŷ yn Whiston a phawb ond dau yn byw yn gyfangwbl yn yr ysbyty. Roedd y ddau arall wedi priodi ac yn byw allan oni bai eu bod yn gweithio. Roedd fflatiau addas y tu mewn i'r ysbyty yn dod gyda'r swydd yn rhad ac am ddim, a hefyd Mess gyda bwrdd snwcer a bar. Fan hyn yr oedd canolfan gymdeithasol yr ysbyty i ni.

Er mwyn cael trefn ar bethau, arferid ethol swyddogion i gynrychioli'r Mess. Cefais fy ethol yn drysorydd gyda'r dyletswydd o redeg y bar. O fewn wythnosau, cawsom lythyr gan gwmni a arferai werthu cwrw i'r bar yn dweud bod dyled o £1500 yn daladwy er y flwyddyn cynt! Nid oeddem yn meddwl fod hyn yn deg iawn a gwrthod talu a wnaethom, ond gan fod y meddygon oedd yno y flwyddyn cynt wedi gwasgaru, fe benderfynodd y cwmni fynd â ni i'r llys ac fe'n gorfodwyd i dalu'r arian.

Galwyd am gyfarfod arbennig i drafod yr argyfwng, a'r cynllun i godi arian oedd hyn. Ar ôl i rywun farw, os oedd y corff am ei losgi roedd yn rhaid cael dau feddyg i arwyddo ffurflen arbennig. Meddyg Tŷ oedd un o'r rhain. Roedd swm o tua £16 yn daladwy i bob meddyg am arwyddo, sef yr arian a elwir yn *ash cash* ymysg meddygon drwy'r wlad. Am rai wythnosau, roedd yn rhaid i bawb roi ei *ash cash* i dalu'r ddyled.

Yn ystod fy chwe mis fel Llawfeddyg Tŷ gwelais amryw bethau dychrynllyd iawn. Pe bai'r digwyddiadau hyn yn ymwneud â rhywun ieuanc byddai hynny'n gwneud y peth lawer iawn gwaeth ac mae tri digwyddiad yn aros yn fy nghof.

Y cyntaf oedd dyn yn ei dridegau yn syrthio i'r llawr yn yr ysbyty. Roeddwn yn ei adnabod yn dda iawn – un o'r Charge Nurses yn yr Adran Argyfwng. Roedd wedi gwaedu i mewn i'r ymennydd a bu farw o fewn oriau. Cymeriad hoffus iawn ydoedd; roedd yr eglwys yn llawn ddiwrnod ei angladd a nifer o'r ysbyty yno yn eu dillad gwaith.

Yr ail beth oedd cael fy ngalw i weld rhywun oedd wedi bod mewn damwain modur ac wedi mynd ar draws clawdd. Roedd gwaed ym mhobman o gwmpas y pen ac felly anodd iawn oedd gwybod faint oedd oed y claf. Y peth cyntaf i'w wneud oedd rhoi piben i lawr y gwddf er mwyn i wynt fynd i'r ysgyfaint. Roedd calon y claf wedi llonyddu. Felly gwasgwyd y galon drwy bwyso ar y fron, i gael y gwaed i lifo.

Roedd dynion yr ambiwlans wedi rhoi gorchudd dros ben y claf a phenderfynodd y Meddyg Tŷ Hynaf (Senior House Officer) edrych o dan y gorchudd. Gwelai dwll mawr drwy'r asgwrn, gyda niwed difrifol i'r ymennydd a rhan helaeth o'r ymennydd wedi ei adael ar safle'r ddamwain. Unwaith y gwelwyd hyn, ni wnaed unrhyw beth i arbed y claf. Roedd y niwed yn rhy ddifrifol.

Erbyn hyn roedd yr heddlu wedi cael gafael ar berthnasau'r claf. Merch yn dathlu ei phen-blwydd yn ddwy ar bymtheg ydoedd ac wedi bod allan yn yfed. Nid hi oedd yn gyrru'r modur – roedd y gyrrwr yn hollol ddianaf. Gwaith anodd iawn oedd mynd i siarad â'i rhieni pan gyraeddasant . . .

Yna, roedd bachgen tair-ar-ddeg oed wedi dod i mewn o gartref i fechgyn drwg. Yn amlwg roedd bechgyn drwg eraill yno hefyd oherwydd yng nghanol ffrae roedd rhywun wedi ei drywanu yn ei frest â chyllell fara. Roedd ei gyflwr yn ddrwg iawn ac yntau wedi colli cryn dipyn o waed. Roedd y gyllell wedi mynd i'r frest yn union dros safle'r galon.

O fewn eiliadau, daeth Mr Johnson yr ymgynghorydd i lawr i'r Adran Argyfwng. Yn ei dyb ef, nid oedd amser i fynd â'r claf i'r ystafell driniaeth. Tynnodd ei grys i ffwrdd a dweud wrthyf innau am wneud yr un peth. Rhoddasom wisg arbennig amdanom a gwisgo menig ac agor un ochr i frest y bachgen. Erbyn hyn roedd y claf yn anymwybodol ar ôl colli'r holl waed. Roedd y gyllell wedi mynd drwy'r galon a'r ysgyfaint. Er gwaethaf ein hymdrech, bu farw'r bachgen tra oeddem yn ceisio pwytho'r galon, gyda gwaed yn llifo allan o'r twll.

Ambell waith byddai rhywbeth digrif yn digwydd hefyd. Yn ystod yr ail hanner blwyddyn, yr oeddwn yn Feddyg Tŷ yn hytrach nag yn Llawfeddyg ac yn delio gyda chleifion a oedd wedi cael trawiad ar y galon. Weithiau, pe byddai'r galon wedi llonyddu, byddai'n rhaid ei hailddechrau. Y peth cyntaf i'w wneud oedd rhoi dyrnod galed yng nghanol y frest. Gan fod y claf yn anymwybodol erbyn hyn, nid oedd hyn yn boenus. Os na fyddai hynny'n gweithio, defnyddid trydan. Pe byddai'r alwad yn dod fod calon rhywun wedi llonyddu, byddai'n rhaid gadael popeth yr eiliad honno a rhedeg i lle bynnag yr oedd ein hangen.

Un tro, fi oedd y cyntaf i gyrraedd y claf a dyna lle'r oedd y claf yn fyw ac yn iach ac yn gorwedd yn gyfforddus yn ei wely! Roedd rhywun wedi gwneud camgymeriad. Mae peiriant ar gael i fesur gweithrediad trydanol y galon (*electrocardiogram* neu ECG). Y tro hwn, roedd y peiriant ymlaen ond heb ei rwymo am y claf. Os nad yw'r peiriant wedi ei rwymo am y claf, mae'r darlleniad yn union fel pe bai'r galon wedi llonyddu!

Ychydig funudau ar ôl i mi gyrraedd, cyrhaeddodd y Meddyg Tŷ arall. Bachgen mawr dros ei ddwylath ac yn pwyso un stôn ar bymtheg oedd hwn ac yn chwaraewr rygbi 'tebol iawn. Heb edrych ar y claf, gwelodd y darlleniad ar beiriant yr ECG. Camgymerodd y darlleniad a meddyliodd fod calon y claf wedi llonyddu. Wrth gwrs, y peth cyntaf a wnaeth oedd rhoi dyrnod galed yng nghanol brest y claf. 'Beth wyt ti'n ei wneud, y bwystfil mawr?' gofynnodd y claf a tharo'r meddyg yn ôl!

Yn ogystal â'r Mess, roedd dau le arall i gyfarfod. Y cyntaf oedd y Clwb Cymdeithasol yn yr ysbyty. Roedd hwn yn agored i unrhyw un oedd yn gweithio yn yr ysbyty. Nos Lun oedd y noson fawr a byddai'r lle yn llawn erbyn naw o'r gloch. Arferai'r rhan fwyaf o'r meddygon, y Meddygon Tŷ a'r cofrestryddion fynd yno ar nos Lun hyd yn oed os oeddent yn gweithio, er na chaent yfed, am fod y Clwb ynghlwm wrth yr ysbyty.

Ar adegau, nid oedd pethau'n rhy dda rhwng y meddygon a rheolwyr y Clwb, a rhai o'r rhain ddim yn gweithio yn yr ysbyty o gwbl. Roeddwn i a nifer o feddygon eraill yn gweithio ar ddiwrnod Nadolig, felly

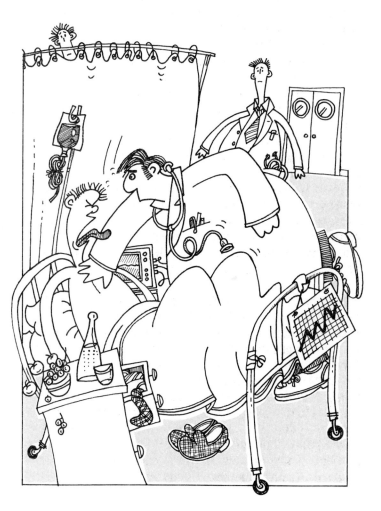

nid oedd hi'n bosib cael mynd adref a bu'n rhaid aros yn yr ysbyty dros y cyfnod. Y noson cyn y Nadolig roedd dawns yn y Clwb Cymdeithasol ac roedd angen tocynnau i fynd yno. Ond cawsom ni fel meddygon drafferth mawr i gael tocynnau gan fod y rheolwyr wedi eu dosbarthu i'w ffrindiau yn gyntaf. Golygai hyn nad oedd yn bosib i'r meddygon oedd yn gweithio yn yr ysbyty dros y Nadolig fynd i'w clwb eu hunain am fod y lle'n llawn o bobl o'r tu allan!

Roedd yn rhaid dyfeisio ffordd i ddatrys y broblem. Gan y byddai'r Clwb yn weddol ddistaw tan tua naw o'r gloch, aethom i dafarn gerllaw tan hanner awr wedi naw. Roeddem wedi trefnu i un o'r cludwyr, a oedd yn gyfaill i ni, i agor y drws tan hanner awr wedi naw ac yna i mewn â hanner dwsin ohonom yn ddistaw bach ac ymuno yn yr hwyl. Ar ôl rhyw awr fe gawsom ein gweld gan un o'r rheolwyr. Nid oedd llawer o ysbryd y Nadolig yn hwnnw a gofynnodd i ni adael. Gwrthodasom. Dechreuodd dadl fawr ac aeth pethau yn flêr ac yn sgarmes gorfforol. Dechrau da i'r Nadolig!

Y man cyfarfod arall oedd ar nos Iau am bump o'r gloch yng Nghlwb y Ddraig Werdd, sef tafarn gyfagos, ac o bump tan saith o'r gloch roedd gan yr aelodau, sef meddygon yr ysbyty, ystafell i gyfarfod ynddi. Roedd yn gyfle da i glywed beth oedd yn digwydd yn y byd meddygol ac i sgwrsio.

O dro i dro, fe gynhelid parti yn y Mess a byddai pawb oedd yn gweithio yn yr ysbyty yn cael gwahoddiad. Partïon llwyddiannus iawn oedd y rhain a gwyddai rhai o'r cymdogion amdanynt. Weithiau byddai rhai o lafnau'r dref yn ceisio dod i mewn, rhai yn amlwg yn chwilio am drwbwl. Fwy nac unwaith bu ymladd. Pe bai rhywun yn cael ei anafu, nid oedd yr Adran Argyfwng ond decllath i ffwrdd!

Blwyddyn hapus a gefais yn Whiston. Ddiwedd y flwyddyn roedd y rhan fwyaf ohonom yn drist iawn ein bod yn gorfod symud i ysbytai eraill. Cefais wahoddiad i symud yn ôl i Rif Chwech. Nid i lawr y grisiau gyda'r myfyrwyr, ond i fyny'r grisiau gyda thri meddyg arall mewn amgylchiadau llawer mwy moethus!

Gyrfa Lawfeddygol

Ar ôl gadael Whiston, cefais swydd meddyg yn Adran Argyfwng a Damweiniau Ysbyty Broadgreen, Lerpwl. Roedd yn rhaid dal swydd fel hon yn ôl rheolau'r Colegau Llawfeddygol. Golygai fod gen i fwy o amser rhydd am nad oedd yr oriau mor hir â rhai Meddyg Tŷ, ond roedd yn rhaid defnyddio'r amser rhydd hwnnw i astudio os oedd unrhyw obaith am fynd yn llawfeddyg. I ddechrau gyrfa fel llawfeddyg mae'n rhaid bod yn Gymrawd o Goleg Llawfeddygon Lloegr, Caeredin, Dulyn neu Glasgow (Fellow of the Royal College of Surgeons neu FRCS).

Mae dwy ran i'r arholiad. Mae'r rhan gyntaf, neu'r Primary fel y'i gelwir, yn arholiad anodd iawn. Nifer fechan sy'n llwyddo. Allan o'r rhif arferol fyddai yn ei sefyll, sef pum neu chwe chant, o gwmpas cant fyddai'n llwyddiannus. Pynciau'r arholiad oedd anatomeg, ffisioleg a phatholeg a byddai angen gwybodaeth fanwl iawn ohonynt. Fel arfer, golygai hyn chwe mis o waith caled cyn bod yn barod i sefyll yr arholiad am y tro cyntaf.

Eisteddais y Primary am y tro cyntaf yn Llundain a Chaeredin gan deithio yno ar y trên. Gan fod llawer iawn o feddygon o wledydd tramor wedi dod i Brydain i gael profiad, hyfforddiant a chymwysterau uwch cyn dychwelyd adref, byddai'r siwrnai yma fel mynd ar y Bombay Express, yn enwedig ar y daith i Gaeredin.

I ddechrau, byddai arholiad ysgrifenedig. Os oedd y marciau'n ddigon uchel ar ôl hynny, fe fyddai'n rhaid mynd yn ôl yr eildro am arholiad llafar. Golygai hyn gryn dipyn o deithio a chostau. Yn ogystal â thalu am westy, roedd yn rhaid talu dros ganpunt bob tro i sefyll yr arholiad mewn un lle yn unig!

Methu wnes i y tro cyntaf, ond roeddwn mewn cwmni da. Os yw meddyg eisiau bod yn ffisegwr, mae'n rhaid iddo fod yn Aelod o Goleg y Ffisegwyr (Member of the Royal College of Physicians neu MRCP). Mae dwy ran i'r arholiad hwn hefyd, yn gyffelyb i'r FRCS. Dim ond pedair ymgais a ganiateir yn rhan gyntaf yr arholiad a chwe chais am y rhan olaf. Ar un adeg, roedd y Coleg Llawfeddygol yn Llundain yn trafod cyfyngu ar y nifer o weithiau y caniateir sefyll y Primary. Yn ystod y drafodaeth, fe sylweddolodd Llywydd y Coleg na fuasai byth wedi medru mynd yn llawfeddyg o dan y rheolau hyn oherwydd iddo fod yn aflwyddiannus yn y Primary lawer gwaith!

Llwyddais yr ail dro tra oeddwn yn gweithio fel Meddyg Tŷ Hŷn yn adran Niwroleg Llawfeddygol Ysbyty Walton. (Llawfeddygaeth yr ymennydd, i'r lleygwr.) Gan ein bod yn trin cleifion ag anafiadau difrifol i'r pen byddai llawer o'r cleifion yn dod o ogledd Cymru. Ar ôl chwe mis o brofiad, cefais swydd fel Meddyg Tŷ Hŷn yn Ysbyty Broadgreen, gan weithio yn yr adran Llawfeddygaeth Orthopedig am bum mis. Ar ôl llwyddo yn y Primary, roedd angen profiad arnaf mewn llawfeddygaeth gyffredinol ac yn fuan wedyn cefais swydd fel Cofrestrydd Iau (Junior Registrar) yn ysbytai Singleton a Threforus yn Abertawe, sef swydd am ddwy flynedd.

Felly, bu'n rhaid symud i lawr i'r de a gadael Rhif Chwech. Yn fuan iawn ar ôl symud yno fe briodais ag Awen a buom yn byw yn Llandeilo Ferwallt, sef pentref bach delfrydol ym Mro Gŵyr.

Yn ôl y traddodiad, roedd yn rhaid cael noson allan gyda'r hogiau cyn priodi. Fel y digwyddodd, pen-wythnos gyda'r hogiau a gefais i. Euthum i Lerpwl ac aros y noson yn fy hen fflat yn Rhif Chwech ar y nos Wener. Ar y prynhawn Sadwrn cefais gêm rygbi gyda LUMPS yn erbyn New Brighton. Y noson honno fe drefnwyd i nifer ohonom fynd allan am bryd i dŷ bwyta Groegaidd cyn mynd yn ôl i'r bar yn Rhif Chwech. Hwyr iawn oedd hi arnom yn dychwelyd!

Cawsom amser hapus yn Abertawe ac yno y cafodd ein merch, Siân Gwenllian, ei geni. Gan fy mod ar alwad bob yn ail noson drwy'r cyfnod hwn, cefais brofiad eang o lawfeddygaeth gyffredinol a chyn hir roedd hi'n amser meddwl am yr ail ran o arholiad yr FRCS. Penderfynais sefyll yr arholiad yng Nghaeredin a Llundain. Arholiad Caeredin oedd gyntaf. I ddechrau, roedd arholiad ysgrifenedig, dros gyfnod o ddau ddiwrnod. Yna, roedd yn rhaid dod adref a mynd yn ôl am arholiad llafar yr wythnos ddilynol. Os oedd y marciau'n ddigon da, roedd yn rhaid mynd i fyny unwaith eto am yr arholiad clinigol. O Abertawe, roedd y siwrnai yn fil o filltiroedd crwn bob tro! Gan fod y trên yn cymryd dros wyth awr, a hynny ar adegau anghyfleus, roedd yn hwylusach mynd yn y car.

Roeddwn wedi gwneud yn ddigon da i gael mynd yn ôl am yr arholiad clinigol. Nid oeddwn yn siŵr iawn sut roedd pethau wedi mynd, felly roeddwn ar bigau'r drain wrth ddisgwyl am y canlyniadau. Gorffennais yr arholiad cyn amser cinio ond nid oedd y canlyniadau'n cael eu cyhoeddi tan tua chwech o'r gloch yr hwyr. Am ei bod yn ddiwrnod heulog braf, euthum i weld Castell Stirling, rai milltiroedd i ffwrdd. Prynhawn digon hir oedd hwnnw ond toc cefais y newyddion da fy mod wedi llwyddo ac felly yn Mr Jones FRCSEd. Cawsom

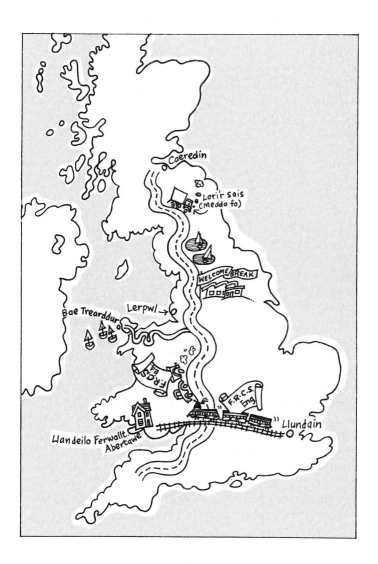

wahoddiad gan yr arholwyr i gael gwydraid o sieri hefo nhw cyn cychwyn am adref.

Roeddwn mewn hwyliau da iawn yn gyrru i lawr yn ôl, ond digwyddodd rhywbeth digon rhyfedd i mi. Rywle yn Ardal y Llynnoedd roedd chwant bwyd arnaf a throis i mewn i fwyty ar y draffordd. Tra cerddwn at y bwyty daeth dyn canol oed ataf a gofyn a gâi ddod gyda mi i lawr y draffordd. Dywedodd mai gyrrwr lori ydoedd a bod honno wedi torri i lawr. Cytunais ac aethom i mewn i'r tŷ bwyta. Yn rhyfedd iawn, ni ddaeth i eistedd ataf, ond yn hytrach eistedd ar ei ben ei hun.

Ar ôl cychwyn y modur eto, gofynnais iddo pam yr oedd wedi dewis eistedd ar ei ben ei hun. Cyfaddefodd nad oedd arian o gwbl ganddo ac nid oedd eisiau fy ngwylio'n bwyta ac yntau bron â llwgu. Roedd hefyd mewn penbleth sut yr oedd am gyrraedd adref heb arian. Bae Trearddur oedd ei gartref erbyn hyn, meddai, er mai Sais ydoedd.

Gan fy mod yn teimlo ar ben y byd, aethom i'r tŷ bwyta nesaf ar y draffordd a phrynais bryd iddo cyn ailgychwyn am adref. Gollyngais y dyn i lawr er mwyn iddo gael mynd i gyfeiriad gogledd Cymru. Roedd hi wedi hanner nos erbyn hynny. Cyn iddo fynd, heb iddo ofyn, rhoddais swm o arian iddo gael lletY am y noson a rhoddais fy nghyfeiriad iddo er mwyn iddo yrru'r arian yn ôl i mi. Diolchodd yn fawr i mi ac addo anfon yr arian yn ôl drannoeth.

Welais i byth mo'r dyn na'r arian. Wrth edrych yn ôl, roedd anghysonderau yn yr hyn a ddywedodd wrthyf. Ni chredaf fod llawer o yrwyr lorïau heb ryw fath o drefniadau ar gyfer achlysuron fel cerbyd yn torri i lawr.

Cefais seibiant o ychydig ddyddiau cyn cychwyn am Lundain i sefyll yr arholiad yno. Arholiad cyffelyb oedd hwnnw ac ar ôl llwyddo yng Nghaeredin, roedd fy hunan-hyder yn uchel iawn. Llwyddais yn Llundain hefyd ac roeddwn yn FRCSEd ac FRCSEng rŵan!

Arholiad mewn Llawfeddygaeth Cyffredinol yw'r FRCS. Erbyn hyn, roeddwn wedi penderfynu mai i faes Llawfeddygaeth Orthopaedig yr oeddwn eisiau mynd. Felly roedd yn rhaid cael swydd cofrestrydd canol *(middle grade registrar)* yn y maes hwnnw a bûm yn ffodus i gael un yn ysbyty enwog Alder Hey yn Lerpwl. Tra gwasanaethwn yn y swydd honno yr ysgrifennais y llyfr yma, heb fod yn edifar o gwbl imi ddilyn y llwybr a ddewisais mewn bywyd.

Y cam nesaf ar ôl cael profiad fel cofrestrydd canol fydd cael swydd fel cofrestrydd hŷn *(senior registrar)* am tua thair blynedd cyn bod yn barod i gynnig am swydd fel ymgynghorydd. Mewn llawfeddygaeth, mae'r meddyg yn treulio rhwng deg a phymtheg mlynedd yn cael ei hyfforddi cyn cael ei benodi'rn arbenigwr ym Mhrydain. Rwy'n falch o gael dweud fod parch at safon gwaith meddygon Prydain. Dyna pam y daw nifer o fyfyrwyr o wledydd tramor yma i gael hyfforddiant ac i ennill profiad.